ツイッター哲学
別のしかたで

千葉雅也

kawade bunko

河出書房新社

ツイッター哲学——別のしかたで

目次

本文デザイン　鈴木成一デザイン室

はじめに――別のしかたでツイートすること

本書は、僕の二番目の本として二〇一四年に刊行されたツイート集、『別のしかたで――ツイッター哲学』の新版です。かなり違うものに変わったと思います。元の本には二〇〇九年から一四年のツイートが含まれていました。そこに二〇一九年までのツイートを加え、全体的に配列を再検討し、テーマを立てて章を分けました。また、読みやすさを考え、元ツイートの語句を若干修正したところもあります。

タイトルは「ツイッター哲学」をメインにし、「別のしかたで」はサブに移動しました。ツイッターで哲学する、というのを前に押し出した方がどういう本なのかわかりやすいのでは、と考えたからです。

僕の「基本的な感覚」が伝わるものにしたい、というのがコンセプトです。千葉的なノリというか、世界の肌触り。それは、たぶんすぐわかると思うのですが、ある種の距離感です。世界に対して、ある距離を挟んでいる。

そういう感覚はもちろん他の本にもあるとはいえ、ツイートにはより直接的に表れていると思います。生活の些細な気づき、社会問題、哲学や芸術への取り組み方、セクシュアリティへの思いなど、内容は色々ですが、どれもそのときどきの勢いで書いた、というか書いてしまったものなので、良かれ悪しかれ「地」が見えているはずです。

僕が文章を鍛え、プロとして生きていく過程はツイッターと共にありました。なぜツイッターの一四〇字以内がこんなに書きやすいかというと、それは、書き始めた途端にもう締め切りだからである。

[2014-05-21 12:21]

そうなのです。字数に制約がある。有限性がある。一四〇字という字数に深い意味はありませんが、そう決まっているので、その枠内でできるだけのことをする。「そうするしかない」という諦《あきら》めを強いられているとも言えるし、「それだけでよい」という許しであるとも言える。毎日ツイートしているうちに、僕の研究では「有限性」が大きなテーマになっていきました。「ツイッター哲学」とは、「有限性の哲学」ということでもあります。

一四〇字以内に収めなければならないというのは、外在的な条件、変えたくても変えられない「法」です。あと数文字書ければいいのに、と削らざるをえないときに、そのどうしようもない「非意味性」を意識させられるでしょう。

なぜ、一四〇字なのか。英語圏の携帯電話のショートメッセージを基準にしているらしい、といった理由が言われますが、それについてもさらにその理由を問えるし、理由の理由の理由……と無限後退し、なぜ一四〇字なのかの最終的な答えは決して得られません。だから、ある程度までの理由は考えられるにせよ、一四〇字ということは、結局はただ「そうだからそうだ」という非意味的なものとして受け入れるしかないのです。

非意味的な有限性、一四〇字以内。僕が考えている「有限性の哲学」とは、「非意味的な有限性の哲学」なのです。

「別のしかたで」という表現は、元々はフランス語の autrement（オートルマン）、英語では otherwise です。フランスの哲学者、エマニュエル・レヴィナスの著作に『存在するとは別のしかたで』という（そう訳せる）ものがあり、それをふまえています。

非意味的な有限性で切り取られ、一個になる。いわば「個体化」される。あるいは「輪郭」を与えられる。個体化＝輪郭化。ひとつのツイート。いくつかのツイートの束。仮にまとめられた束＝書物。としての自己・他者。

決定的なものではなく、別のあり方へ生成変化していく途上の「仮の輪郭」を頼りにして行動し、思考する。仮の輪郭は、外在的な「法」や「掟」や「慣習」――たとえば一四〇字以内ということ――によって、非意味的に切り取られる（こうした話は『動きすぎてはいけない』で展開されており、だから本書は、『動きすぎてはいけない』の「別のしかたで」でもあります）。

ものごとの輪郭が、仮固定される。

仮固定から仮固定へと移りゆく。ツイッターには、何かを仮にやってみている様子、何か新しい課題に直面し、別のしかたで思考や感覚を摑《つか》もうとする様子が間歇《かんけつ》的に流れてきます。工事現場やアトリエの一角が明滅している。ツイッターとは、生成変化の中間において仮固定された思索がとびとびに並ぶ、非連続性のメディアなのです。ニーチェの断章や、ヴァレリーの『カイエ』や、ソクラテス以前の哲学断片のように。また、漫画のコマのように。一四〇字以内という有限性で、仮に輪郭づけられた島々。

物事について、自分自身について、ある輪郭をとりあえずそれでいいとすることを、私たちは様々に意味づけて正当化します。そうせざるをえません。しかし、とりあえずその輪郭である、ということ自体は根本的に「非意味的」である。なぜ、他でもないそのしかたの輪郭化であるのか――とりあえず、仮にそうであるのであって、世界の諸部分は別のしかたで切り取られうるし、別のしかたで束にされうる。物事が、あるしかたで他から区別され、そしてまた別のしかたで区別され直すこと、の意味のなさ。ある輪郭化された「形態」、「姿」がそのようであることの非-必然性、すなわち偶然性。

ツイッターの一四〇字以内というのも、俳句や短歌の五・七や、フランス詩の一二音節も、非意味的切断による個体化の「原器」であると言えます。これら様々なフォーマットは、私たちの欲望の過剰を諦めさせるものであり、精神分析の概念を使うならば「去勢」の装置です。けれども、おそらく去勢の形式は複数的なのです。つまり、諦めさせられ方は、複数的である。去勢という語はネガティブに響きますが、先に述べたように、諦めとはまた許しでもあって、許され方には複数のしかたがあるとも言える。

別のしかたでの諦めへと、許しへと、旅立つことができる。

ツイッター「も」去勢装置であり、あるいはたとえば、仕事／遊びという時間の分割「も」去勢装置であり、詩歌「も」そうだし、数学のある分野に集中することも「も」そうである。あるしかたでの去勢から、別のしかたでの去勢への生成変化を肯定する。

＊

それにしてもツイッターは、いつしか僕の人生に不可欠のものになってしまいました。

本書を編集するためにアーカイブをダウンロードし、約一〇年間の厖大なデータを前にして、すべてはとても読めないわけですが、僕の痕跡《こんせき》そのものだ……と感慨深く思いました。日記を書くのは三日坊主になりがちですが、ツイートはなぜか続いている。朝の挨拶、執筆の悩み、論客とのケンカ、セクシュアリティをほのめかすツイート……人生そのものが、パラパラ漫画のようにそこにある。

二〇一四年には、ツイッターが世界史的にこれほど重要なメディアになるとは想像できませんでした。まさかアメリカ大統領がツイッターで政治を左右することになろうとは！

「ゼロ年代」と呼ばれた時期のツイッターはもっと牧歌的で、アングラなものでした。状況が大きく変わったのは、震災と原発事故、3・11以後でしょう。社会的・政治的な発言が増加し、それを目的とした新たなユーザーも参入してきた。それ以後ツイッターは、「○○はどうあるべきか」について誰かが何かを言いすぎては「炎上」して批判が殺到し、また再批判が起こり、立場の違いが明確化されていく、というひじょうにストレスフルな空間になってしまった。民主的な政治空間になったのだからいいのだ、という見方もできます。が、僕は、社会のあちこちで分断が過剰に可視化されてしまったと感じています。

ツイッターでは、この人がそういう価値観だとは知りたくなかった、というケースが多々起こります。ある時期から僕は、名刺交換代わりにツイッターやフェイスブックでフォローし合うのをやめました。知らなくていいことを知ってしまうからです。

僕も昔に比べて社会的・政治的発言が増えました。でも基本的には、3・11以前からの使い方を崩していないつもりです。日常の雑感を友人との茶飲み話のように語る、後に仕事につながる考察のメモ代わりに使う、というスタイルです。あくまでも個人的なものとして使い、意識するのは友人の目線。だから、ハッシユタグを使って行うような「動員」には抵抗感があります。

ちょっと休憩時間に覗くと、誰か友人が仕事について何か言っている。自分の部屋から出て、茶の間やコモンルームに行くと、同僚がいてちょっと立ち話ができる感じ。他の人が何かに取り組んでいる姿を見ると、もうひと仕事するかという気持ちになる。他の人が飲み始めている姿を見ると、そろそろビールかなと思う。これこそがツイッターです。本来のツイッターとはそういうものだと思う。

ネットの向こうでは誰かと一緒にいるかもしれないにせよ、ツイッターのアカウントは一人だけのものであり、孤独な個です。働き、喜び悲しみ、怒り笑い、疲労する一人一人の姿がある。孤独の断片がきらめいている。僕はそれが好きなのです。

はたしてこのメディアがいつまでもつのか、まだわかりません。

本書は、ツイッターがまだのんびりしていた時代の記録なのかもしれない。ですが、ツイッターがどんな場になってもなお、僕は、「別のしかたでツイートする」ことを続けたいと思うのです。

ツイッター哲学

――別のしかたで

1　方法について

匿名者

中古のテーブルはいい。新品の天板だと、使い始めの頃は、そこに付く痕跡《こんせき》が「自分の痕跡」だと意識して、気になる。知らない経歴を辿《たど》ってきたテーブルはスクランブル交差点みたいな感じがして、そこに向かうと自分は匿名者になる。カフェのテーブルがそう。それでなんだかとても気が楽になる。

[2013-01-30 01:22]

惰性

創造的になるために、惰性に逆らって「つねに意識を高く持とう」としても三日坊主になる。重要なのは、惰性的にやってしまう日々のルーチンのなかに、なんとなく勉強してしまえるタイミングとかをうまく組み込むこと。「惰性的に創造力を高めるための環境設定」をする。

[2013-01-28 00:30]

その「感じ」

仕事がうまく進まない、そう感じたときは、行き詰まった、と思うのではなく、行き詰まりを「感じている」と思うべきだ。問題は、まずもってその「感じ」からの回復である。

[2012-01-18 12:48]

スピーディーに

微弱なものを素早く捉《とら》えること。微弱なものに付き合うというと、じっくり時間をかけてということになりがちな気がするけど、そうではなくスピーディーに。

微弱な何かをスピーディーに堪能してすぐその場を離れる。

[2014-02-28 19:25]

方法論

方法論の本が好きだ。その方法で為すことよりも、方法群を並べることに耽溺《たんでき》する。幾人もの違ったデカルトを、ヴァレリーを並べる。幾つもの違った決意を、ドヤ顔を並べる。それを通過して、一種の無方法に至る。特殊なことではない。あらゆる一見無方法と見えることが、実はそうなっているように思う。

[2012-11-13 00:06]

論文や小説の書き方にせよ、アートのやり方にせよ、方法の入門書って、汎用性を高くするために中立的に書かれてるとあんまおもしろくないのよね。方法を既にいくつか知ってると、偏《かたよ》った意見をごり押ししてくれる本のほうが、こういう手があったか！　と参考になる。

[2012-11-12 23:04]

海の縁

老舗《しにせ》のホストクラブ「愛」の、鏡やら写真やらネオンやらを細かくちりばめた異様に悪趣味な装飾は、おそらくグロッタの一種なのだろうが、海の岩場に種々の生物が張り付いているようであって、歌舞伎町の奥に歩みを進める感覚は、海の縁《ふち》を散策する感覚に似ている。

[2013-05-03 11:54]

似てる

男性が、好きな男性芸能人やスポーツ選手なんかの名前を挙げると、どこかしら本人と似てるとこがあることが多い気がする。昨夜もバーで話した人が挙げた芸能人はその人の眉《まゆ》と目のあたりに似てるなと思った。

[2014-05-25 10:44]

低く見積もってはいけない

それにしても議論というのは（ドゥルーズによれば哲学者は議論をしないというわけなんだけど）やるならばエレガントな攻撃性でやりたいものですなあ。エレガントな攻撃性というのは難しい。そのためには、相手の理解力・文脈力を性急に低く見積もってはいけない、と思うんですね。

[2012-01-31 23:56]

相手の力量を低く見積もって批判する人間というのは、基本的にアホである場合が多いんですね。論戦は、相手をできるかぎり「持ち上げ」ながら行わなければならず、実際の相手がそれに見合わないとしても、「持ち上げ」た上での（仮想的に強化された）相手をぶっつぶすのでなければなりません。

[2012-02-01 00:00]

三日の法則

僕には「三日の法則」っていうのがある。まず一日目は、いろいろ試しては最初の一段落も書けず、苦悩する。二日目は、なんとか形ができるけれども、迷いがあってダメになる。そして三日目に、ようやくこれで書き継ぐことができるという一段落ができる。

[2009-12-26 03:07]

※最近はもっとラクに、多少雑でも一気に書いていけるようになった。

減算的に

議論を膨らませるのではなく、減算的に仕上げること。ここはもうちょい補いが必要かな、という弱いパッセージがあったらむしろ、そこを全カットすることも考えてみること。

[2011-06-11 21:51]

やりとり

親類とかのしゃべりを聞いてると、どうしてそう返すの?! っていう受け答えのズレとか、情報提示不足とか読解不足とかのために、ちょっとしたことが15分くらいの具合の良くないやりとりになったりする。その間、論理の屈折を精神分析家みたいに聴き取りながら黙ってる僕、みたいな。

[2013-01-01 23:34]

二重性

僕は、自分の仕事に対して「とりあえずこの立場を採ってるけれど実は「〜なんちゃって」かもしれない」という自己懐疑と、「これでいいのだ」という自己信頼を持つという二重性のバランスがうまい人が好きだ。そのバランスが「うまい」というのはどういうことなのか、これは、巨大な哲学的謎だと思う。

[2012-12-12 03:26]

リアルな問題

ダイエットしようとしたり、アンチエイジングしようとしたりすることをアホらしいと切り捨てることは簡単だし、逆に、ダイエットするべきだ、アンチエイジングするべきだと言うのも簡単だ。リアルな問題は、その〈間〉での迷いであり、せつなさである。

[2011-09-14 03:15]

速度のあるアイデア

素早く形成されるアイデアを信頼しない人もいる。が、僕は、速度のあるアイデアから始めてその着地のしかたを探っていく。着地のしかたというのも、急に思いつくことがしばしばなのだ。即興演奏に似ている。

[2012-02-20 15:42]

書き手の身ぶり

大昔に、中島隆博先生からの論文指導で、いい論文の条件として、「書き手の身ぶりがあるのがいい、後ろに回り込んだり、待ち伏せしたり、よけたり、待機したり、速度を変えたり……」というようなアドバイスを頂いたのを、覚えている。

[2013-01-24 21:48]

自分の欲望

厄介なのは、自分の「デカい問題設定」が何なのかを片鱗《へんりん》すら摑《つか》んでいない、あるいはそれを他者に伝えることをしたがらない（何らかの抑圧をかけている）ケースで、要するに、自分の欲望の方向性が分かっていない人。そういう人は「自分の欲望などとは関係ない正しい研究」をしていると勘違いしている。

[2013-01-28 01:22]

散骨

海に散骨ってのはあるけど、都市に散骨っていうのは、やると違法だったりするんだろうか。

[2011-08-07 22:43]

翻訳

第一に、つねに複数言語の間で書くこと。概念や言い回しの背後に、錯綜《さくそう》した翻訳空間を想定して書くこと。第二に、翻訳空間を考えた上で、日本語独特の、翻訳不可能なレトリックをうまく使うこと。日本語で書くことの特有の意義をもたせること。

[2010-02-07 03:39]

程度問題

それを使っている当人が分析的にその意味を明確化して使っているのではないイディオムに注目し、そこを核としてテクスト解釈を組み立てることを、僕はイディオム分析と呼んでいて、拙著では、ドゥルーズにおける trop（〜しすぎる）の用法に執着するという試みをしています。

[2013-10-30 21:31]

『動きすぎてはいけない』というタイトルで行くかどうかは、迷いました。これはドゥルーズ自身の言葉の引用です。「生成変化を乱したくなければ、動きすぎてはいけない」（『記号と事件』）。この「すぎない」という「程度問題」に焦点を当て、ドゥルーズの「節約のレトリック」を追究する。

[2013-07-03 22:55]

一人で残っていると

雲の色が怪しくなり、家族連れがパラソルをたたみ始める。海の色が鈍くなる。そこに一人で残っていると、短く太陽が出て肌を温め、また雲に隠れる。そして車に戻る。

[2013-08-25 13:46]

自意識のこじれ

文化論研究者は全員、ある段階で「軽薄な」現代大衆文化論を書くのを義務にしたらどうかと思ったりする。そこで自分の欲望を「うまく」（ってどういうことかが問題なのだが）操作できてるかどうかで、「クラシカルな研究においてはごまかされがちな自意識のこじれ」がよく露呈されるだろう……。

[2012-12-04 22:18]

儀礼

ブランドにお金を払うって不合理なことで、そこに人間の主体性の秘密がある。人間は、合理的選択だけをすればよく、まやかしのブランド的価値などいらない、というふうにはならない。僕はならないと思う。このことが、政治がなぜ超合理的にならないのかといった問題とも関係する。核心は、儀礼性だ。

[2018-05-18 01:47]

儀礼だらけ。官僚的な作文も儀礼。荒れる成人式も儀礼（成人式はもちろん儀礼だが、決まって荒れるということもまた儀礼）。特攻服も、サラリーマンのスーツも、パジャマも儀礼。寝酒も、わざと透明にしたアイスティーも、みんながiPhoneなのも、儀礼。

[2018-05-18 01:58]

他者が必要

ピアノの練習にしても、手癖から逃れるには、やったことのない動きを外から強制される必要がある。言い換えればそれは、他者が必要だということ。先生でなくても、教本の類でも、ある程度は他者として機能する。他者が新たな枠組みを提示し、それに対して身体が変性し、拡張される。

[2018-02-22 20:00]

短い時間

今日の夕食、とんかつ屋でメインのとんかつに手を付ける直前に、豚汁と漬け物とご飯だけをちょっと頂いてみた短い時間がとても幸福だった。

[2010-06-12 02:26]

テクスト解釈

虚実入り交じっているプロレスというのは、テクスト解釈のようである。逆にテクスト解釈はプロレスなのであって、ストイックなボクシングではない。

[2013-06-12 14:30]

2　空間について

関東の感じ

薄曇り、生ぬるい空気、夏がそのうちに来るだろうと思う。雨が降りそうな渋谷。ブンカムラのそば。気持ちがシュッとする。ハイティーンときにあの地下のドゥ・マゴに行った。関東の感じだ。空気の硬さ。

[2015-04-01 00:11]

どうでもいいパスタ屋に入る。ちりめんじゃこのオイルソースとか、ツナのトマトソースとか、どうでもいいパスタが並ぶなかで、ワタリガニのトマトクリームソースが一番偉そうにしている。

[2015-04-01 00:13]

平面を作る

横断的な翻訳によって哲学すること。それは、地域差を超えた「普遍的なもの」を一元化しようとするのではなく、翻訳によって開かれる「間」において、ただそこにおいてのみ、様々な他者性を共立させるような平面を作ることである――多少ガタリ風に言ってみるならば。

[2009-12-18 01:48]

音楽

未知の土地に到着して、新しい部屋にいつもの音楽を流す。恐れを遠ざけて、小さなテリトリーが描かれる。ドゥルーズ&ガタリが言う「リトルネロ」としての音楽の「領土化」機能である。

[2012-09-22 22:56]

どこにいても

電車から見えるマンション。古いトタン屋根の家。壁にひびがある家。そのどこかの部屋に住むことになった自分を次々に想像する。布団があればいい。どこにいても、刑務所でも、布団に入った瞬間、ここでとりあえず落ち着けると思うだろう。そして翌朝、前の人生を半分忘れている。

[2019-11-27 11:56]

荘厳

最初に東京に来た頃（若林に住んでた）、新宿二丁目に行きたくて、でも場所が分からなくて、歩けば見つかるかもと思って夜の新宿西口（たぶん東じゃなかった）に立ち、ものすごい都会ぶりに呆然《ぼうぜん》としてダメだこりゃと思ってすぐ帰宅したことを思い出す。夜の新宿は恐ろしく感じられ、荘厳《そうごん》だった。

[2012-09-26 09:11]

自由連想

もうこのへんでリラックスタイムにしよう。形式的に煮詰めても益がない話だ。あとは自由連想で行けばいい。語ること、語らないことをめぐる欲望の自己分析。語らなさを含む言語使用とはどういうことか、複数の語らなさを含む言語使用とは……。

[2013-01-20 22:15]

勝負

罰ゲームを賭けて何か勝負をするという楽しみが、僕にはさっぱり分からない。だから飲みゲームの類《たぐい》も参加しない。何が楽しいのだろうか。

[2013-12-19 00:07]

※その後僕は、ときどきは飲みゲームに加わってもいいと思えるようになった。

「が」

横組みのとき、「〜が」を用いる文は視覚的に醜い、というのが僕のちょっと病的な感覚で、直後に読点を打つか、できるだけ「が」を使わない構文にするために時間を食ってしまう。縦組みでは平気なので、縦のゲラが出たら校正で「が」

を増やす。困ったことだ。ゆえに高速な縦書きワープロを欲している。

［2013-03-13 19:05］

※その後、いつしか「が」は気にならなくなった。

労働者服

ブルーカラーの作業着やユニフォームは美しい。それはリーマンスーツの画一性とは違う。何が違うんだろう。ユニフォームを個性的に着くずしているときの圧倒的なかっこよさ。ブルーカラー万歳。学生服も労働者服だ。

［2012-09-14 12:29］

ユニフォーム

当事者以外によるユニフォーム萌えっていうのは、そのマジメな当事者ならばユニフォームに対して（意識的には）あまりこだわっていない（というか、意匠へのこだわりを断念させるのがユニフォームというものである）、というまさにその事実にこそ欲望を向けることでしょう、おそらく。

［2013-02-17 21:00］

読みすぎてはいけない

先行研究は読まなくてはいけない。が、アイデアが固まるまでは、読みすぎるな。中二病でいいから、一次対象について自分のアイデアをいったん固めろ。先行研究で、近いことを言っていたものが見つかっても、断固として違うと言い張れ。そんなのは気合いだ、「筆圧のこもった微細な」レトリックだ。

[2011-05-05 00:17]

実践的

ドゥルーズのテクストは、揺るぎない体系があるんじゃなくて、概念の運用にブレが大きい、あと「器官なき身体を求めるにしても、自己破壊は徐々に丁寧にやらないといけない」みたいな実践的〈度合い〉を言うことがあって、このあたりの〈バランス〉を捕まえる語り口が重要である、と僕は思っている。

[2011-10-01 15:46]

松見坂

僕の思い出のピニャ・コラーダは、渋谷の松見坂の交差点にあったCecileというレストラン・バーで飲んだものですね。セシルには20代前半の頃、友達とよく行きました。山手通りが見えるテラスがよかった。いま、渋谷にIndian Cafeという名前で移っていますが、昔の方がよかった。

[2010-07-27 02:44]

※そのIndian Cafeも残念ながら閉店した。

空きスペース

高架道路の下など、空きスペースがあるのに、デコボコした構造物をわざと設置して、ホームレスの人が寝られないようにしているの、ひじょうに心が痛む。人間が自然の空きスペースに「建築＝家」を見いだすという本性を否定している。あれは反建築そのものだ。人類史の否定に他ならない。

[2017-02-01 10:36]

混同

そして、「多様なマイノリティが尊重される社会の実現」と、「安全でクリーンで透明な社会の実現」を混同してはならないと思う。後者のやりすぎは望ましいことではない。

[2013-04-02 22:27]

萌芽期イケメン

九六年の『キッズ・リターン』のときの金子賢は、たぶんチーマー的な雰囲気なんだろうけど、あれは、僕の中学三年から高校一、二年の頃の、萌芽期《ほうがき》イケメン＝ポストヤンキーを想起させるんです。

[2011-08-24 03:25]

箱

コーネルの箱は、いかにもセンチメンタルな記憶（化された旅への憧れ）の宝箱といった風情《ふぜい》だが、ものによっては、ある種とても抽象的な色面を含んでいるものなどもあり、それは閉域における脱領土化の開きを感じさせる。記憶痕跡《こんせき》であると同時に、その場での旅として宇宙へ向かうエレベーターである箱。

[2010-05-09 04:03]

無限と有限

部屋に観葉植物があると認知能力が上がるというのは本当な気がする。それは「無限」に触れることなんじゃないかな。無限に複雑なもの。板の木目とかもそう。「その先がある」感じ。それが欲望を牽引《けんいん》する。だがまた、それは「区切られている」必要がある。無限と有限の必要性をペアで考える。

[2018-02-26 10:33]

黒々とした否定性

僕もまたそうではあると思うが、多くの人がじつに黒々とした否定性を持っていることに心底驚かされるし、怯《おび》えさせられる。僕がちびちび飲んでいたら、ぐでんぐでんに酔った女装の姐《ねえ》さんに罵倒され、マジで怖かった。奇声を上げながら飲め！　飲め！　と促されるのだが……。こういう理不尽はやっぱムリだ。

[2010-04-18 07:27]

「徳」の修練

どんなクラスタに軸足を置くにしても、重要なのは他とのハイブリッド化であり、それをうまく言語化するテクニックである。そして特定クラスタにありがちなルサンチマンから解放されていること、これは必須であって、一種の「徳」の修練である。

[2013-09-06 17:38]

大人になった証拠

高校時代まで消せる筆記具でキレイにノートをとっていて、大学に入ってもちょっとそれをしていて、そのうちボールペンになり、書き損じても消し線を付けたり潰《つぶ》したりするので平気になったら、大人になった証拠である。 [2013-08-06 00:17]

学力が伸び悩んでいて、かつノートがとてもキレイという人がいたら、ノートをもっと雑にしたらどうだろうか、とアドバイスしたい。ノートをきれいにするという余分な「強迫性」が、柔軟な思考力の成長を妨げている可能性が少なからずあると思う。 [2013-08-06 00:25]

まあでも、上から下にまっすぐきちんと展開していくノートじゃなくて、四方八方に引き出し線が展開してるようなノートですね、僕が「汚い」と言ってるのは。きちんと分割された領域に、しかるべき順序で収めようとするのは無駄に強迫的になりがちかなあ、と。 [2013-08-06 00:35]

師匠

僕の師匠である小林康夫の逸話。ある友人が、博士論文の指導を受けるため、小林先生に会いに行った。概要をプレゼンしたら、「これじゃダメだな、まあそこに座れ」。で、一言。「いいか、博論を書くにはだな、自分が世界の中心にいると思え」。

[2011-04-26 23:34]

ホント大嫌い

あの、一生一緒にいてくれや、って曲ホント大嫌いだわ。

[2012-10-05 12:58]

すこぶる幼児期的

引っ越してまだ二週間ちょい。二週間目から、新しい時間感覚が意識されてきている。最初の一週間には、極端に言えば時間の持続がなかった。バラバラになった知覚断片しかなかった。ようやく、持続が形成され始める。こうしたプロセスはすこぶる幼児期的で、メラニー・クラインが記述したようなものだ。

[2012-10-06 13:07]

アイデアだけ知っても

アイデアって、それを活かすためのコンテクストがないと使えないから、そのコンテクストまですべてしゃべっちゃうのでなければ、アイデアだけ知っても他人が使うことはできない。そして、コンテクストまですべて教えてもらったなら、ふつうあまりに恥ずかしくて丸ごと盗むなどできない。

[2013-10-23 23:07]

外れている

諸々の先行研究をふまえた結果、僕の議論、これで大丈夫だなと思えてきた。先行研究の既定路線に乗っているということではなく、しっかり外れているという意味で。

[2011-06-13 21:59]

まじめっぷり

どんなにアカデミックに誠実で、歴史をふまえたことをきちんと言っても、誠意が伝わるどころか、アカデミズムの外の人には、その「まじめっぷり」がかえって悪印象になることもある。そういう不幸な出会いが生じることは避けがたいが、プレゼン技術の工夫は色々できると思う。

[2012-11-16 23:12]

推理小説っぽい

学術論文を書くことは苦しい。肝心の言いたいことを存分に解放するまでの準備として、それほど書きたくもない前段階の説明をくどくど積み上げなくてはならないから。「説明ゼリフ」っていうやつですね。僕はそれが嫌なので、まず核心を示唆《しさ》してから、推理小説っぽい仕立てにして書く。

[2010-08-11 04:09]

ニーチェの「とにかく寝ろ」

それにしても昨日はたっぷり寝たので、そのおかげで今日はすっきりしていたように思います。やはり疲れたなと思ったらとにかく寝るのがいいんですね。ニーチェもそう言ってるよね。ニーチェの「とにかく寝ろ」っていうのは、すごく切実なメッセージであると思う。

[2011-06-13 22:04]

蚊帳

親から聞く話。夏に蚊帳《かや》を吊るのがわくわくしたという。もちろん僕の頃に蚊帳はもうない。雷が鳴ると、蚊帳に入れば大丈夫と言われたらしい。宇都宮は雷が多い。雷が鳴ると、蚊帳のまんなかで小さく座っていたという。四隅に触れないようにして。

[2015-08-11 20:56]

蚊取り線香を焚《た》きながら、蚊帳も吊る。その煙・匂いと半透明の壁に囲まれた領域が、テリトリーになる。夏のただでさえ特別な時間のなかに、さらに特別な閉域をつくる。夏休み、従兄弟たちと泊まって、布団にもぐって遊んだのを思い出す。閉域である夏の、そのなかの閉域で遊ぶ。

[2015-08-11 21:00]

3 幻想について

際立っている

渋谷。イタリアントマトの入口のとこに、ＥＸＩＬＥ風というか、今のギャル男な感じの短髪の男が寝ている。転んだのかケンカしたのか、顔と膝に擦りむいた痕《あと》があり、焼けた肌の上で二箇所、赤く真皮の色が際立っている。

［2014-05-31 09:57］

飛躍

僕の経験から言って、他人は、文・論旨の飛躍に対して、書いている本人が思っているところとは、違うところに反応するものである。だから、書いている最中に、「ここの飛躍を難じられるかもしれない」などと神経質にならない方がよい。

[2011-05-01 22:59]

リミット設定

記述するのに一時間かかるようなトピックは、(a)十分に細かく分割=分析されていない、あるいは、(b)それについて暫定的《ざんていてき》にであれハッキリした主張をしちゃっていいという「見切り」ができていない。いや、一時間ではなく30分くらいに厳しくリミット設定したほうがいいか。

[2011-01-30 02:43]

切り抜ける

「ネゴシエーション」の和訳、「切り抜ける」っていうのはいい。あるいは「うまくやる」とか「やりすごす」。つまり、原理的に解決するのではなく、アドホックにさしあたり問題ないかのようにしてしまうこと。ネゴシエートするってのは純粋にロジカルではない。レトリカルに筋を通す。

[2011-08-17 16:26]

パートナー

アイドルは恋人情報が漏れると叩かれるっていうアホらしいことを廃絶できないのだろうか。パートナーがいることが分かったくらいで妄想が阻害されるようなファンは気合いが足りん。

[2011-09-05 01:00]

パリの病院

パリで気胸になったときは入院したんだけど、このときがいちばん真剣な仏会話の練習になった。病院はすばらしいサポート体制で、病室も広く、ベッドも立派な電動式、食事もフルコースで、居心地は最高だった。朝、カフェオレがいいか紅茶がいいか聞きに来るんですよ。

[2010-08-24 01:44]

恩義なし

デリダの言う「純粋な贈与」には逆問題がある。純粋な贈与は、まったく交換にならない＝顕在的《けんざいてき》にも潜在的にも「お返し」のない贈与だけど、他方で、そういう贈与を受けることの純粋さ、「贈与されて、顕在的にも潜在的にも恩義なしであること」について考えるというテーマ、これは論じるに値する。

[2014-01-28 00:10]

復活

完全エネルギー切れのときは、メシを腹一杯食べないのが大事という経験則。復活が遅くなる。

[2013-01-31 19:20]

語り合える人

ひたすら無意味だけど、なんか気持ちいいもの、というのに反応し、そのことを言葉にし、語り合える人というのは、案外少ないものだ。しかし僕の生は、そこに基盤がある。意味があること、何かに貢献することに、僕の生の基盤はない。

[2016-07-23 19:14]

形式の発明

表象文化論はいつでも異種格闘技なので、「正しい」論述のスタイル、解釈法などは決まっていない。議論の形式それ自体を個々人が発明する。哲学も本来そういうものだと思うけれど、既成形式の踏襲に陥っている場合も多いですね。僕も、新しい仕事のたびに形式の発明を試そうとしています。

[2011-05-22 22:44]

俗情

僕たちは「俗情との結託」から逃れられない。求められるべきは、「諸々の俗情を変態させること」ではないだろうか。

[2011-09-21 01:25]

まずいもの

田舎暮らしをして新鮮なおいしい野菜を毎日食べていたらそれはそれで飽きるだろう。都会の喫茶店の乾いたようなレタスが食べたくなるだろう。まずいものがまずくて美味いということはしばしばある。

[2013-12-23 13:46]

質がよくて雑味なく甘いウニよりも、かえって多少ミョウバンの苦味があるウニの方がいいのではないかと思うことがある。

[2014-01-02 16:39]

新居

新居にてようやくネット接続。バーボンなう。

[2010-02-17 04:40]

※これは東京時代の最後に住んだ東中野の家。その後、大阪へ移った。

ボクサーブリーフ

ギャル男ファッションは、だいたい、cluise の派手なボクサーブリーフの展開が終わった頃にほとんど終わったのかもしれない。

[2012-11-29 13:23]

現実的なもの

昨日は友人と、ファンタスムと現実的なもの（le réel）について語る。ファンタスムの枠内だけで性的欲望を維持できるのか。「現実的なもの」の露呈でファンタスムが裂けるとき、そこで逆説的に生じる魅惑こそが性的欲望の核心、というのが一般にラカン派的な見方だと思うけど、

[2011-08-07 15:39]

そうじゃなく、どこまで行ってもファンタスムしかない世界のなかで欲望を維持できるのかどうかを考えてみた。彼によれば、つねにファンタスムの枠組みが揺さぶられ、裂けては更新されることが必要だという。この、裂けては更新ということの「弁証法」をどう理解したらいいのかが難しいように思った。

[2011-08-07 15:43]

ファンタスムが「裂ける」ことに重点を置くか、それとも「更新される」ことに重点を置くか。前者なら、裂け目を通しての他者性の露呈こそが本質的ということ。後者で押し通せば、あるファンタスムの枠は、他者性の剝《む》き出《だ》しを経ずに、ただ別のファンタスムの枠へと変形することになる、と言えようか。

[2011-08-07 15:48]

現実的なものの露呈って、好きになった人の身体のディテールに突如、不気味さを感じてしまったりとか。たとえば、ヤってる最中にふと相手の脇の臭いに耐え難さを感じてしまったりとか。で、それでもそれをイイ！　と逆説的に欲望するという問題。

[2011-08-07 15:58]

麻酔

歯石除去のための麻酔が切れるのを待っている。右下の唇の感覚がなくなってい たが、だんだん戻ってきた。感覚がなくなると、その部分だけ、肉の塊としてのマッスを妙に意識させられる。

[2017-08-31 18:43]

矛盾

「ここには実は矛盾がある」ベースで考える人と、「一見矛盾しているようだが実は……」ベースで考える人がいるようだ。僕は完全に後者。

[2015-04-05 13:30]

他人の状態

いったんできた原稿がダメだと思って、放置している、これじゃダメだとヘルプの連絡があったので、まあ見せてよと送ってもらったら、なかなかいい、ちょっと編集すればいけるじゃん。完璧主義の罠《わな》だ。僕もそれで苦しんでるが、他人の状態を見ると「こういうことか」とハッとさせられる。

[2016-09-23 00:05]

アイロニー

僕はアイロニカルであることが嫌いだと自認していたけど、反対に、基本的にきわめてアイロニカルなんだろうなと思っているこのごろ。それゆえにアイロニーから離れようとする。

[2011-10-26 01:30]

非合理性

合理性で割り切れないものですべてをモヤモヤにするのもダメだし、すべてを合理性で割り切ろうとするのもダメで、合理性と非合理性の弁証法が必要なのよね。

[2015-07-30 01:20]

赤信号、みんなで渡れば怖くない、というのがあるが、青信号を見てみんなで渡るということもまた、赤信号をみんなで渡るときの非合理性と同じ非合理性で支えられている。

[2018-08-21 00:14]

私の肉

マグロの刺身を食べることは自己触発の一種である、というのは、マグロの血の味は口腔《こうこう》を、歯肉を、自ら舌でまさぐる感じを想起させるからだ。マグロとは、腫《は》れて鬱血《うっけつ》した歯肉である。それは私の肉である。なぜマグロの刺身に特権的な位置があるのか。それは、私の肉であるからだ。

[2017-07-26 20:38]

オブラート

昔の歌番組を見たら、黒柳徹子が徳永英明に「喉《のど》を痛めていたそうで、それで化《か》膿《のう》して膿《うみ》が出たとかで」と言い、それに答えて「ええ、声帯が炎症を起こして」云々、とか、これらの生々しい感じ、今のテレビにはないと思う。「膿が出た」なんて今では言わないんじゃないかしら。

[2015-02-08 22:38]

昔のテレビのオブラートに包んでなさというか、そこまで言わなくても的なことを平気で言う感じって、新鮮に感じる。かなり古い番組で、漫画家志望の若者が毎日チキンラーメンを食べているというのに対し、インタビュアーが素早く「こんなの食べてるの？」と言ったのにも、ちょっとゾッとした。

[2015-02-08 22:41]

隕石

因果的連鎖の説明では尽くせない剰余としての出来事は、説明の圏域にとっては無意味なもの、ないし暴力的なものとして現れる。それは、生物進化にとっての隕《いん》石《せき》衝突のようなもので、そこで因果ゲームの舞台自体が変化する出来事だ。

「科学的」たろうとする学者はその剰余に触れるのを避けようとする。

[2015-07-17 21:33]

解像度

人間は、豊かな＝高解像度の世界認識と貧しい＝低解像度の世界認識の双方の魅力に引き裂かれる。どちらかが正しいという一元論を立てたがる。リア充か非リアかということだ。この間の引き裂かれこそが肝心なのだが、それを言うと、あいだを取った凡庸な結論と言われよう。が、その記述が難しいのだ。

[2015-08-17 00:05]

準‐システム的なもの

異質な価値観を持つ人を共存させようとすると、統一的な管理ができなくなる。そこで、統一的管理をせずに、いかにうまい「準‐システム的なもの」を作るかが頭の使い所なのだが、世の中は、統一した方が簡単だという単純でガサツな方に流れる。

[2019-10-29 17:25]

4　変化について

勉強

親は子供に勉強しなさいと言う。でもそれは、世間にうまく内在して稼げるくらいに勉強してほしいってことですよね。ラディカルに世間を批判できる学力を得てほしいとは思っていない。ディープな勉強はしてほしくないのよ。というか、ディープな勉強などということを知らないケースが多いのだと思う。

[2013-09-29 23:22]

勉強が嫌い、というのは、自分を変えたくないということだと思う。そして勉強嫌いが多いのは、今の自分でまあいいかという人が多いからだろう。別人のように変わることは、恐ろしいことなのだろう。勉強することは、変身の恐ろしさのまっただ中にダイブすることだ。

[2013-07-03 20:54]

ラディカルに世間を批判できるようになる程までには勉強してほしくないのであれば、初めから「勉強しろ」などと言うな。お受験などさせるな。本来、勉強するというのは恐ろしいことなのだ。そして教師たる者は明日も、勉強することの恐ろしさを、その講義で十二分に展開するのである。

[2013-09-29 23:31]

部分的に文字通りに

革命的なことというのは、すべて文字通りに言ってしまうと実現しないのではないかと思っている。すぐに形骸的《けいがいてき》なスローガンになるし、また、その形骸的なレベルで抵抗される。ただし、部分的に文字通りに言うことは必要。

[2013-10-27 23:15]

弱さに寄り添いながらも

小泉義之さんのデカルト主義は、さんざん紆余曲折《うよきょくせつ》があって考えに考えてそれで先に進もうとするなら「気合いを入れろ！」っていうことではないかと某氏と話した。弱さに寄り添いながらも、のことではある。が、しぶとく生きていくなら、気合いを入れるしかない。ガンになっても、ＨＩＶ＋になっても。

[2012-11-13 00:20]

スプーンで口元まで

最近は、ものを書くときに、柔らかい食物をスプーンで口元まで運んであげなくてはならなくなった、とある先輩が言っていましたが、そういう状況が事実である以上、ある程度それに合わせつつ（でないと読まれませんから）、しかしギリギリの抵抗もしなければならない。

[2010-02-07 03:51]

自分「にも」

自分が悪いのではない、圧倒的に社会が悪いのだ、と考えることは重要である。が、自分「にも」悪いところがあると考えるべきだろう。後者に関して重要なのは、承認欲求を暴走させないことだと思う。左派にしても右派にしても。

[2013-04-11 19:27]

ゲーム

ゲーム好きな人は反感を感じるかもしれないけど、あるルールの中でできるだけのことをするってのはどうも苦手。すぐに勝手に「別のゲーム」を作りたくなる。僕は（精神分析的な広い意味での）「法」との関係がスッキリしてない……。だから球技とかもあんま真剣に観ようと思わない。

[2012-09-09 09:34]

すぐ分解

困ったこと、気乗りしないことは対処可能な細かいアクションにすぐ分解すること。

[2012-05-26 11:18]

二番目

昨夜は、北島三郎が引退後に経営するカラオケ飲み屋の二番目の店舗に行く夢をみた。

[2014-01-14 13:53]

有限性によって

しかし僕は怠惰《たいだ》であると悪びれもせずに言おう。もちろんベストというよりもベターエフォートでがんばってはいる。しかしそれも有限である。そうした有限性によって、物事があるしかたで塑形《そけい》されてしまうことにむしろ創造性を見出すことも、必要であると思う。

[2010-06-18 01:37]

東京という郊外

で、批評的な間奏を挟みますと、こういう関西の状況（大阪のアジア的喧噪、京都の差別的な分割）の方が、たぶんグローバルには「ふつう」で「本来的」であり、関東ってのはそこから派生した「巨大な郊外」なんだろうということ。東京も含めて。そういう実感がある。僕はそこからやって来た……。

[2012-10-14 20:12]

何ということだ、僕は東京という賑《にぎ》やかな「郊外」から、「世界」にやってきたのだ、ということになる。

[2012-10-14 20:16]

僕は、長く住むにしても自分を「関西化＝世界化」してそこに内在することなく、住めるようにはなるにしても依然として「郊外人」であることをやめないだろう。
[2012-10-14 20:34]

これは、パリに到着したときのブルーな感じと似ている。空港から電車でパリに入る途中の橋の下にたくさん見えたホームレス。ポンピドーの最上階から見た「ジブリのような」パリ市街の美しさを、正直、なんだか恐ろしく思ったあの日。
[2012-10-14 20:22]

これは詩だ

いったいどういう言語態を、これは詩だ、と認めていいのか。佐藤雄一さんによれば、それを受けとめる人を詩人と化すようなものが詩であるという。この定義は、寛大であると同時に厳しくもあると思う。
[2010-10-21 21:24]

負ける

僕のお人好しぶりはいつかどうにかなるのだろうか。大人の騙《だま》しや暗黙の戦略などの読解力がひじょうに乏しいので、とくに直にカネが関わる知恵比べみたいなことには足を突っ込まないようにしている。負けるに決まっているので。

[2016-05-20 23:06]

セカイしてきた千葉

「世界史的立場と日本」を検索しようと思ってタイプしたら「セカイしてきた千葉」と出て、なんというアイロニーだろうと驚愕《きょうがく》した。

[2013-10-10 11:31]

努力したとしても

ネットワークから降りて自然派を気取れと言っているわけでもなく、降りてもいいのだよと癒しを与えているのでもない。ユーザーも管理者も、常時接続のために努力する。しかし努力したとしても、それでも有限性において情報が断片化されてしまうことは不可避であり、それを認めるのがリアリズムである。

[2010-06-18 01:42]

勝手な解釈

特殊な言い方で表現しようとするときに、「変な言い方ですが」とか「言葉は悪いですが」とか「勝手な解釈ですが」とか言っている限り、素人さんの世界から出られない。留保なしにズバッと言うべし。

[2013-09-27 21:38]

とくに、大学のゼミで、これは自分の勝手な解釈かもしれませんが、とか前置きを言う人がよくいる。即刻やめなさい。物書きとしてやっていくには、多少勝手な解釈でもそれに説得力をもたせるテクニックを鍛えなければならない。ゆえに、退路を断たなければならない。

[2013-09-27 21:42]

ダンディズム

非コミュニケーションのある種のタイプとして、ブランショみたいに顔を出さないとか、ああいうダンディズムの倫理って、ホントにどうでもいいと思うね。

[2009-12-13 23:45]

区別

たまたまやっていた一流芸能人格づけの再放送を家族と観ていた。あれはおもしろいと思うんだけど、結局、何が高級か否かの区別がだんだん崩壊するところがおもしろいわけなのだろう。

[2016-12-31 10:21]

詩と小説

近現代詩みたいに言語そのものへの狂ったこだわりに溺《おぼ》れすぎると小説にならない。小説を書くには、意味を伝えるという通俗的な（！）ことを受け入れなければならない。そうだとしても、言語そのものへのこだわりを小説の構造と絡ませたいならば、詩にまではならないところでどうするか。

[2013-10-11 23:24]

再構成される

海水浴は、薬になる毒であり、それ自体でリラックスするというより、五感が激しく刺激され、体が破壊され再構成されることだから、ひどく疲労するのだが、だから新鮮な気持ちで日常に戻ることになる。潮のべたつき。日焼けの痛み。砂の痛み。異様な形態の生物に噛まれる。冷たさと暑さ。振り回される。

［2016-09-01 21:13］

ある言葉

子供は、覚えたばかりのフレーズをわざわざ言いたいがために、現実にそれが合ってない場面で、無理にそのフレーズを言おうとすることがある。僕はそういう小学生の気持ちをよく覚えている。ある言葉を言いたいということが、現実よりも先に来ることがしばしばある。

[2018-03-19 18:18]

私的と公的

マイノリティの政治学では、今ここにある不幸から、私的（ないし詩的）な実践（生成変化）でそこから解放されるというのは、その不幸を構造的にもたらしている公的な状況から目をそらすことである（そしてその状況によって似たように不幸化されている人々を裏切ることである）、と解釈されうるのかな。

[2013-09-26 18:14]

「純粋に私的」なふるまいなど存在しない以上、「私的に解放されたつもり」であることは、実は、「自分がうまく意識化していない何らかの公的な優位性へのコミットメントを密かに行ってしまうことで解放されているのだ」、と。うーむ。そうだとしても僕は、私的な「秘密」の領域を存在論的に認めたい。

[2013-09-26 18:22]

あらゆるプライベートなことは政治的であるという発想を採った上でそれでも、他ならぬ個体を区切る切断線を認めなければ「心安らぐ」ことはできないと思う。これは臨床的な必要である。この発想への強い反対は、「心安らぐなどというのは思考停止であり悪である」という主張になるのかもしれない。

[2013-09-26 18:31]

精神分析は、人の心持ちを変えることである。精神分析への抵抗としてありうるのは、「安らぐための変化とは、何らかの規範への強制適応化に他ならない」というものだろう。が、精神分析が追求するのは「規範適応的ではない変化」なのである。そんなことはありえない、と否定しますか、みなさん？

[2013-09-26 18:35]

規範適応的でない自己の変化など、やはり存在しないのか。ちょっとした（という曖昧表現が問題なのだが）規範適応は避けられない（＝何らかのイデオロギーの不可避性)、ということの換言なのだろうか。いや、この換言+αの何かがあるんだよな。誰もが政治的に偏向しているしかない、このこと+α。

[2013-09-26 18:46]

眠りに落ちていく

ディズニー、というと、弦楽の音があっという間にポルタメントでヒュウウと高音から弧を描いて落下していくのを連想するのだが、あれは、子供がふんわりした体臭を嗅《か》ぎながら眠りに落ちていく寸前の音なのだと思う。失神するように。オーガズム的に。生まれる以前に向かって猛スピードで死んでいく。

[2016-12-16 15:06]

5 解釈について

遅延の劇

プロレスとは、男同士のセックスを回避し続ける遅延の劇に他ならない。

[2012-09-30 14:15]

その分相手にしゃべらせる

僕は当然のことだと思うのだが、いいしゃべりは、自分がしゃべりすぎずに相手にしっかりしゃべらせ、自分が多くしゃべるターンが生じたらその分相手にしゃべらせるという「花の持たせ合い」ができるかどうか、なのだが、これができていない状況によく出くわす。

[2013-12-12 00:13]

有限化

僕はここのところ、哲学的テーマとして「切断」「有限性」の重要性を言っているけど、これはアイデアを出したり、企画をつくったりするときの「思考環境設定法」でもある。メモをとるときなど、集中できる範囲を物理的に限定してしまう（＝他所から切断する、有限化する）と、生産性が高まる。

[2012-12-28 01:11]

汎用性《はんようせい》がとても高くて、立ち上げてすぐどうしたらいいか途方に暮れるようなアプリは、旧時代に属している。新世代は、あえて有限化する。これはアップルがiPhoneとiPadの狭い画面で何ができるかということを考える過程で、しだいに積極的に打ち出してきたことだろう。

[2012-12-28 01:58]

そもそも、僕が初期のファミコンのゲームソフトに感じた魅惑の核心は、現実世界の惰性的に際限ない拡がりを、ゲームソフトの「狭いなりに広い緊張した世界」へと切り詰められるということだったと思う。

[2012-12-28 01:56]

なぜ、紙の書物が集中して読みやすいかと言うと、一冊の本は汎用デバイスではないからだろう。iPadやキンドルでは、他にできること、他のコンテンツの可能性がつねに脳裏に浮かんでしまう。紙の書物は、コンテンツとハードウェアを一対一対応させた、極端に有限化されたデバイスである。

[2012-12-28 01:18]

宙づり

北アメリカ。火星のような場所としての。植民。人為的に始まりを再設定すること。合衆国。大阪の行きつけの居酒屋のテレビに、合衆国のパニック映画が映っている。こんな恐怖をどうして反復経験したいのだろう。そんなことを考える。

人為的な大地への不安だろうか。宙づり。サスペンス。

[2014-01-08 22:23]

速読と遅読

『遅読のすすめ』かあ。速読本に対抗して、むしろ遅く読むべしっていう立場を売るのは分かりやすいビジネスだけど、物書きとしての実感から言えば、速読と遅読のどっちもできないとダメですよね。構造が明快な本はさっさと読めた方がいいし、多義的に読める本は解釈を試行錯誤しながら読むしかない。

[2011-08-11 01:35]

親の悲しみ

「親を悲しませるな」という命令ほど陰険なものはなかなか無い。哲学の役目の一つは、断固としてこの命令から個々の実存を無関係化し、解放することである。

[2012-11-30 02:48]

普及させる努力

現状で普及していない何事かを普及させようと努力する立場ならば、「自分は正しい」と思っているにしても、どういう批判や皮肉のスタイルを採れば現状の「ハッキング」に（確率的に）成功し（やすくなり）、どういうスタイルではマズイのかを熟慮しなければならないと思うのよね。ツラいけど。

[2012-12-12 03:10]

嗚呼東京

東京の喫茶店で、年配の方が携帯で話していて、なんだよ馬鹿野郎、何言ってんだこんちくしょうが、あー？　馬鹿野郎そうじゃねえよ馬鹿野郎とか、悪意なく半笑いみたいな声色でしゃべってるのを聞くと、嗚呼《ああ》東京だなと思う。あれは、栃木人の耳にはかなりキツく聞こえるけど。

［2013-08-04 11:55］

書き直し

いちど書いた文章にうまくない箇所を見つけ、書き直そうとしても滞る場合、そもそもその箇所を「うまくない」と判断したことが間違っている可能性をきちんと考えてみるべきである（その判断が混乱してることも多い）。結局、ほとんど元のままでよかったりするものだ。

[2013-09-06 17:05]

偉そうな本

あと、蓮實重彦の『フーコー・ドゥルーズ・デリダ』をすご一く久しぶりに開いて、その奔放さにびっくりした。昔の人ってのは、ああいう偉そうな本を書いてよく平気だったなと思う。今の若い学者はマジメすぎる。勇気をもらった。勝手なギアを入れてあさっての方に走っていけということ。

[2013-04-04 20:55]

昨今の書きものは、偉そうであることが許されなくなった。言説における「民主的っぽい感じ」が「実学的に」優先される状況があり（これは工学系の感性だと思う）、そして、ネットで誰でも発言できるから、承認欲求の競争に誰もが捲きこまれるようになり、互いに「勝手」でいることが難しくなった。

[2013-12-28 23:37]

八〇年代の蓮實重彥とか中沢新一とか開いてみると勉強になりますよ。彼らの理論が今でも有益かどうかじゃなく、あれほどの「偉そうな」感じから学ぶのです。2ちゃんみたいな〈承認欲求がらみで競い合う偉そうさ〉ではない。偉そうな者が〈承認などどうでもいい〉レベルで好きに言い合う状況です。

[2013-12-28 23:34]

蓮實重彥の伝説の言葉「私を偉そうと言う人がいますが、偉そうなのではなく、偉いのです」における「偉い」というのは、承認欲求のみみっちい競争をやめて、非意味的切断で勝手なことをやるということです。

[2013-12-28 23:49]

無意識の仕事

新しい原稿を書くときは、最初の三行くらいを数パターン書いてみて、それでいったん止めて、無意識に仕事をさせる。とりあえず三行でも書いてみないことには、無意識の仕事がちゃんと作動しないので、締切よりかなり早めにちょっとでも手を付けるのが重要。とはいえ、しばしば遅れがちになる……。

[2012-10-30 11:43]

時代

かつて、エロという言葉が今より圧倒的にエロかった時代があった気がする。

[2012-11-03 12:32]

人間の絶滅

僕が言えることとは、人間の絶滅をリアルに考えることは、形而上学の非 - 人間性（これは「残酷だ」とかそういう意味ではなく人間を中心化しないということ）を考えることに直結しているということです。

[2013-11-14 00:10]

エレガントな欲望

アナーキズム研究の森政稔《もりまさとし》先生が、授業中寝るのは構わない、睡眠欲は「エレガントな欲望です」とおっしゃって、教養教育ってかっこいいなぁと思ったのを思い出しました。RT @tkk_fantaholic: 大抵の欲望には勝てるけど眠気だけはどうにもならないので、

[2012-12-11 23:31]

大衆文化

ファストフードをベタに「速くて旨い」と思うのは当然ダメだ。（a）「もっと難しい食べ物」のおもしろさを知ろうとするべきであり、かつ、（b）ファストフードでさえ「難しく食べる」ことができるべきだ（B級「グルメ」）。そして（b）はやはり（a）なしでは成り立たないと最近改めて思う。

[2013-09-20 23:13]

ある程度の古典的（二〇世紀も含む）教養を蓄えた上で大衆文化をどう料理するかっていうハイブリッドが「当然」だったと思うのだが、それって九〇年代末から数年の過渡期の感性かもしれなくて、その後どんどん、大衆文化だけじゃダメ

なんだよと言わなければならなくなってきた感。老けたのか。

[2013-09-20 23:37]

愚かしくシンプルに肯定する

（女性が）男性の身体を持ちたいとか、（男性が）女性の身体を持ちたいとか、そういう欲望をそのまま肯定しようとするなら、変態（queer+metamorphosis）することの魅力を、ひたすら愚かしくシンプルに肯定するしかない。トートロジーだけれど。

[2009-11-26 00:40]

武器

タイで武器を手にしてる人の写真を見てすごいなあと思ったのだけど、日本の現在の市民はどのくらい「武器」から遠く、あるいは案外近い？のだろうか。土曜日のイベントで聞いたんだけど、旧活動家曰く、六八年の際はまだ戦中期からの続きの感じがあり、武器というものが身近だったという。

[2014-02-02 19:56]

ユートピア化された「英米」

修士のときドゥルーズ研究をどう進めるか悩んでいて、突破口になったのが、旧訳『ドゥルーズの思想』（＝ディアローグ）の第二章「英米文学の優位について」だった。ここで述べられるユートピア化された「英米」の何事かを摑《つか》まえようとして、僕は、中島先生の古代中国論の方法を参考にしたのだった。[2013-08-18 21:51]

そこから博論までは確かにずっとつながってる。僕はドゥルーズにおける「英米幻想」をテーマにしてきた。その結果として、初期以来のヒューム主義を最大限に誇張するというドゥルーズ解釈になった。ベルクソン主義と齟齬《そご》するまでに。それを誇張するのは、ドゥルーズの英米文脈が幻想的であるからだ。[2013-08-18 21:55]

僕は〈ヒューム主義的ドゥルーズ〉を好ましく思っているが、それを前面に出すのは、ドゥルーズ哲学におけるファンタスムを捉《とら》えるためなのだ、ということに注意してほしい。ドゥルーズ＆ガタリの分裂分析が「行動主義」の一種に見えるというのも、幻想化されたそれとしてそう見えるということ。[2013-08-18 21:59]

三番目の兎

二兎《にと》を追ううちに、自分が三番目の兎《うさぎ》になって走っていること。そういうのがいい。

[2013-02-15 23:55]

反省しない自由

ところで、人には刑務所に入っても反省しない（で、しているふりをする）自由がある。当然のことである。どんな凶悪犯罪をやってもね。

[2013-03-27 23:59]

分離

あと、僕の連載で言及したけど、「人を結びつける機構としての宗教」と「人々から分離するもの（ゆえに非宗教的なもの）としての聖なるもの」っていうナンシーによる区別が、関わってくるんじゃないのかしら。

[2012-11-15 22:27]

ツッコミとボケ

デリダが偉いのは、ツッコミとボケをどちらもやったからだ。脱構築はツッコミの技術だが、それを使いながらいくつもの概念を仮固定した。散種《さんしゅ》とか、パルマコンとか。概念を仮固定することはボケることである。それが概念の創造である。

[2012-01-07 02:41]

批判的思考

ちょっとでも批判できそうなことを見つけたなら我先にと批判するってのは、嫌いなのよね。美徳的でない。でも、「批判的思考」が人文学の命だと思っていることはもちろんなのです。このことと、我先に批判するってのは必ずしも一致しないと思うのね。

[2013-08-04 00:08]

小泉さん

小泉さんと話していると、左の人物も右の人物も楽しく話題になり、あれは全然ダメ、というのはあっても、あれは危険だという話はない。彼はたぶん遠くを見ているから、現在の言説であれが危険だの何だのというのはないのだろう。すべてが漫談のネタになる。小泉さんのその軽さの裏にある深刻。

[2019-04-02 14:02]

小泉さんとタバコ休憩で一緒になって、しばし歓談できるのは幸せな時間で、彼は二本立て続けに吸ったらさっと消えてしまう。長く引き止めてはいけない。この貴重な鉢合わせの時間で彼に言うべきことを選び抜いて話さなければ。いつもそう思っている。

[2019-05-15 01:02]

解釈

結局、あらゆるものは齟齬するのだ。解釈の技でつなぐしかない。

[2011-10-29 16:18]

こっちの世界

宮台さんが高等テクニックとして言う「相手が知らないこっちの世界に連れて来ること」って、今の内在系の若い子を相手にする場合、難しいように思う。「こっちの世界」がチラチラ見えるだけで拒否されることって多いように思うんだけど……。

[2013-09-12 23:31]

一年前には

なんか、久しぶりに見に行ったゲイの人のアカウントのプロフ欄に、一年前にはなかった嫌中・嫌韓スタンスを言う文言《もんごん》が追加されてて、あぁーっと思った。セクマイの人が排外的なこと言ってるケースってけっこうあるのよね。そのガッカリ感ってねぇ……。

[2013-09-26 00:46]

普通の人

親族や地元の人と話すときに話の根底にあるのは(インテリの家族ならそうじゃないかもしれないけど)、退いた視点から「社会や世界をどう見るか」ではなく、「で、お前はなんとか食えてんのか？　俺んとこはなんとかなってるぜ……」である。

[2016-12-31 10:51]

普通の人は、「抽象的な括《くく》り」でものごとを捉えることの暴力性、具体的に話をするのではない話の暴力性にとても敏感だ。親族との会話で、たとえば僕が「労働者」という語を使っても、話し相手の親族はその語をまねして使うのを避ける。意味が伝わっていないのではない。その語は「否認」されるのである。

[2016-12-31 10:47]

社会、というか、大きなレベルで人間や世界の営みを考えることが「普通の」人の頭にはない。そのときには、「カテゴリー化」が働いていない。こういう立場は「労働者」である、とか、これは「差別」である、とか。そういう「括り」は嫌われる。個々具体的に人はみんながんばってる、そう捉えている。

[2016-12-31 10:45]

その人でない

年寄りの話を聞くと、言語は語り手のものではない、ということを強く思う。主体性も自分のものではない。ある環境によってテンプレ的な語りをインストールされ、そして主体化している。自分で自分をゼロから造形することはできない。年寄りは特に、その人であると同時にその人でないような感じがする。

[2018-04-14 10:50]

たんに他者である

おみくじを一度見てしまったら気にしてしまうのと、自然科学こそ正しいというのと、自分で描いたのではなく他人が描いたエロ絵がエロい、というのはすべてつながっている。

[2017-03-09 10:38]

他者がたんに他者であるだけで、その言うことが私に、私が自分で内的に思うよりも強い規定力をもつというのは、「神」概念に関わっているということがわかった。思弁だけど。ここで、他者とは物体でもよい。なぜ紙に書き出すと考えが進むのか、それは、「紙が神だから、いや、神が紙だから」である。

[2017-01-16 18:44]

6 倒錯について

クロムハーツのクロス

キリスト教徒じゃない人がクロムハーツのクロスのアイテムを身につけるときにどういう「物語」をつくればいいのだろうか、と店内をぶらつきながら諸解釈を考えていた。

[2013-11-14 23:06]

※二〇二〇年になんとなくクロムハーツのネックレスが欲しくなり、結局、一番ベタなものがいいと思ってクロスを選んだ。

ドライ

東京の和風ステーキソースは概して甘すぎると思うんですよ。宇都宮のはもっとドライなんだな。

[2011-07-27 15:04]

ゼロ

詩情はほとんどゼロ、言語の物質的存在感も限りなくゼロ、まるで何事でもないただ文の断片であるが、しかしそれとして玩味《がんみ》すると詩のようでもあるようなもの、に対する感性を持つこと……。

[2010-09-28 03:02]

非人間的な

しかし問題はお笑いと芸術のキワのところですね。松本人志は結局のところ人間的なところのギリギリでやっているように思う。タモリにはなんというか「非人間的な薄い迫力」がある。薄 - 情。

[2010-09-28 03:53]

舞踏

小学校のとき、授業でソフトボールをやらされるのが嫌で、守っている塁でせいぜい楽しい時間をすごそうと思い、そのへんに落ちていた棒きれか何かを拾ってそれを回しながら舞踏みたいなことをしてたら、先生に「なんでみんなと一緒にできないの！」と怒られたことを思い出した。

[2013-10-09 22:45]

自己アイロニー

ポーも露悪的に言ってるように、芸術は「死」をテーマにすればとにかく一番でかい磁石になるわけですよ。だから死がテーマです、と初めから言うってのはこれは一種の自己アイロニーの可能性が高いわけで、その嘘くささを逆に現代的な死の問題としてどう考えるかよね。
[2012-12-04 01:48]

水平に

生／死をぼかす「灰色」や「半透明」のあわいからも水平に脱輪せねばならない。
[2010-10-04 03:04]

三茶から三宿へ

キリンジは「風を撃て」「冬のオルカ」あたりの（インディーズでの？）シングルが僕の大学一、二年の頃で、上京してすぐ三軒茶屋周辺に住んでいた記憶と重なってる。三茶から三宿へのサイクリング。三宿の「ラ・ボエム」。あの頃、ボエムのランチには小さなグラスのワインが付いてきたのだった。
[2012-12-30 01:04]

歓待

男性連中がどっかりコタツに座っていて、女性たちがお茶やらつまみやらを出してくれるっていう構図のなかに入ってすぐに消耗した。

[2014-01-01 12:33]

祖父母がやたら食物や酒を食え飲めと言うのを、そんなにいらないから、ダイエットしてるから、と流して断るのだが、ああいった歓待は、優しさであると同時に、この場では自分たちがホストであるという権力のアピールでもあると思われ、とにかくそれに巻き込まれたくないと思うのだよな。

[2014-01-02 16:29]

さっき、祖父母がもっと食え飲めと歓待するのはホストとしての「権力」のアピールでもあると書いたけど、この「権力」っていうのもおそらく人文系・批判理論的な「強い」言葉づかい、誇張的な語法で、慣れてない人が聞いたらエッ、権力?!　と戸惑うのではないかと思う。

[2014-01-02 17:36]

教育

僕の大学院時代には、いかなるテクストに対しても、わからなければ自分が悪い、全部自分が悪いという教育を徹底的に受けました。なので、書き手が悪いという感覚はまったく意味不明です。しかるべく勉強したならば、その到達段階にふさわしいテクストは読めるのです。読めなければ勉強が足りない。 [2017-08-31 23:07]

本の一部に論理的に不明瞭なところがあっても、マクロな論旨はたいがいはわかる。全面的に論理がわからない本などめったにない。あるとしたら、言葉のランダムな羅列。狂人の妄想にも内的論理がある。詩人の自由連想にも内的論理がある。 [2017-08-31 23:39]

定型表現

シウマイ弁当のご飯は本当にうまいと「声を大にして言いたい」と書きかけてやめる。「くりかえし言いたい」くらいかな。定型表現を惰性的に使わないこと。

高校時代の世界史教師は京大法卒で、故事成語や四字熟語を駆使した文体で校内文集に随筆など書いてたけど、その素人感たるや。
[2013-09-09 18:10]

喫茶店

重要なのは、傾聴するに値しないムード音楽の類を静かに流してる喫茶店を確保すること。
[2013-05-21 14:43]

カンヅメ

そう、『神的批評』の大澤さんは、やっぱり文字組が気になって内容に集中できないから、最近はiPhoneにキーボードで書いてると言ってた。表示形式をどうにもできない制約された環境に身を置くというわけ。こういうのは一種の「カンヅメ」の技法ですね。
[2012-07-31 12:19]

そもそも、原稿用紙に書いてた時代は、それだけでつねにカンヅメだったとは言えまいか。
[2012-07-31 12:21]

丸めたティッシュ

大宮から乗ってきたおじさんが、自由席車両の混雑を一瞥《いちべつ》し、尻上がりの口調で「だーめだ」と言い捨てる。この尻上がりの、丸めたティッシュをそのへんに捨てるような吐き捨てぶり。諦《あきら》めを吐き捨てる。だーめだ。この感覚の塩辛さ。これが僕にとって北関東的。

[2013-12-29 13:50]

レトリック

最近、自己啓発ものとか、一般向けのスルスル読めるものをあえて多読してるんですが、勉強になります。ほんと、バカにしちゃいけない。あえて弛緩《しかん》させたような書き方もレトリックの一つであり、それはそれで「技巧的に凝っている」と見るべきです。

[2012-05-30 00:21]

私たち

論考において「私たち」という主語を使うときには、それの「集約」機能をどのように働かせるのかをきちんと自覚していなければならない。保身のためにある種の「私たち」に同一化するのか、そういう「ふり」もしてみせるのか、新しい「私たち」への参加へと誘惑するのか、等々。

[2012-04-07 00:58]

英語圏の哲学論文を読むと、「I assume that」といった文が頻出します。私は私の責任において~と仮定する、というわけですね。Iって使うんですね。日本の論文では今でも、「私は」と書くことはあまりないのだろうか。

[2012-04-07 00:55]

去勢

僕は20代前半の頃、去勢という言葉が大嫌いで、それで精神分析系の先輩たちに突っかかったりしていた。ありがちなドゥルージアン&デリディアンだった。ようやく最近、去勢を「分離」という語で押さえなおし、なるほど、と思っている。

[2013-07-29 22:30]

倒錯的

「努力・友情・勝利」は、二重にも三重にも倒錯的にしないと香気が出てこない。

[2012-02-01 00:58]

pervertir は、「歪《ゆが》める」とか「堕落させる」という意味ですが、ドゥルーズが perversion について抱いているポジティヴな——クィア理論とも通じる——ニュアンス、つまり生成変化への関係性に鑑《かんが》みて、僕としては、pervertir ＝ 倒錯させるという動詞を使っています。

[2009-12-18 03:31]

議論をしないこと

ドゥルーズの言う「議論をしないこと」ってのは、なかなか理解が難しいけれど、たぶん、各人がそれぞれの問題意識に専念するべきで、せかせかと批判したり合意をとろうとしたりで疲労しないように、ということかな。

[2012-01-10 17:08]

口頭審査

ちなみに僕もですね、パリ第10大学でMaster2論文を提出したとき、口頭審査で、カトリーヌ・マラブーに、Vous pervertissez Deleuze!（あなたはドゥルーズを歪めている、倒錯させている！）と怒られたというか、そういう評価をされたんですね。

[2009-12-18 03:26]

乱交性への恐怖

ベルサーニによれば、エイズに対する激しい反応が、ゲイの乱交性への恐怖として表出されたのは、そもそも乱交性が恐れられていることの証左《しょうさ》である。乱交性への恐怖とは何か。それは、受け身で何度もイク者への嫌悪であり、一九世紀の娼婦（と梅毒）への嫌悪にも見られた「女性的」立場への嫌悪である。

[2011-10-12 15:03]

受け身で何度もイク状態を考えることは、能動的＝男性的な主体性を脅かす。男性優位の異性愛規範性は、受け身で何度もイクことを抑圧する。なぜか。ベルサーニによれば、そうした受動的・破壊的な状態こそが、万人（いやすべての存在者？）にとってセックスの真理であるからだ、ということになる。

[2011-10-12 15:08]

隊長

ゴン中山は愛称で「隊長」と呼ばれていたが、スポーツができて、快活な陽キャで、ガキ大将的な人が「隊長」と呼ばれるのって、僕が子供の時にもそういう同級生がいた。隊長という言い方にはなんとも言えない違和感と疎外感があった。僕は「隊」に入りたくない、が、憧れもあるという感じ。男性文化。

[2018-03-31 21:44]

抽象性

日本酒ってなんなんだろうなと考えてたんだけど、キリッとした透明度の日本酒って、醸造酒なのに蒸留酒みたいだな、と思ったのよね。でも白ワインにもそういうのあるか。いや、ワインはやっぱり果実の「具体性」なんだよな。米ベースの「抽象性」ってのは、独特のように思う。

[2012-01-29 23:47]

人が死ぬ

葬式では、目の前の人物の死に対する気持ちと、「人が死んでいなくなること一般」の悲しい気持ちが混じる。儀礼が、特殊性と一般性とを圧着させる。人が死ぬ、という抽象的な悲しさがある。個々の人は、そういう抽象性の中へと死んでいくのだ、という感じもする。

[2018-04-14 22:30]

野暮

ま、総じて、僕は「男の闘い」ってのが大嫌いなのよね。なぜって、野暮《やぼ》だから。

[2010-09-03 13:12]

哲学者のみなさん！

僕の留学中、パリ10の授業でとくに印象的だったのはラリュエルの授業。人格的にいい感じのお爺さんだった。アジア系の留学生も多い教室で、初回の授業で、「Vous, philosophes,」（哲学者のみなさん！）と語りかけられたのをよく覚えている。オープンマインドなお爺さんだった。

[2011-04-03 03:45]

ライブ感

それにしても体裁は一応ドゥルーズ論だが、これはもうドゥルーズ論ではないのかもしれない。ドゥルーズとの格闘だ。別にドゥルーズを超えるとか、そういう野心ではない。テクストを読んでいると、格闘技をしたくなってくる。平穏な整理などできない。そのライブ感を残したままの論文になるだろう。

[2010-05-10 03:25]

カレンダーを愛撫

Web上でグーグルカレンダーを使うときに僕にとって気になるのは、カレンダー上を「一回クリック」するとイベント作成されてしまうというインターフェイスなんですよ。「なんとなく一回クリック」って、気分としては「選択」であって「作成」じゃない。

[2011-11-17 13:40]

言い換えると、適当にクリックしながらカレンダーを「愛撫する」ことができない。一回押したくらいですぐに反応してイベント作成してしまう。クルマのハンドルに遊びがない感じです。疲れるんですよ。その点、iCalは、ぽちぽち押しながら愛撫して、よしっ、というときにダブルクリックができる。

[2011-11-17 13:42]

哲学の政治性

西洋哲学と比べた場合の中国哲学の特性とは何か。それは、哲学の政治性があまりにもそのままに露呈していること。それゆえに中国哲学はしばしば「哲学」ではないと言われてきた。西洋の「純粋」な哲学は、非政治的に、つまり中立的に万物の根源を考えるものと見なされてきたから。

[2009-12-11 02:07]

しかしながら、認識論だろうが存在論だろうが、どれほど中立的に見える言説でも、そこには必ず政治的帰結がある。レヴィナスはそう考えたし、中島隆博もそうで、僕もまたそうだ。ゆえに、中国哲学こそが哲学という欲望の裸形《らけい》を剝《む》き出《だ》しにしているのだとも言える。

[2009-12-11 02:09]

芸名

「渚のアデリーヌ」が聴きたくてApple Musicで探したら、見つかった。リチャード・クレイダーマンというのだけど、フランス人なのでこれは芸名。「想い出のピアノ」というアルバムの曲順が、小学校のときの掃除の時間のあの曲順そのままだ。このアルバムだったのか。

[2016-04-27 00:55]

議論

この議論d1には背景知識pが欠けている、と指摘するだけのことは、その知識を持っている人には容易《たやす》い。が、d1はpを欠くことでむしろ、pをふまえた場合に想定される立論d2と違った独自性をそなえることになっており、その独自性はqという論点に要約される、と指摘することは難しいことです。

[2013-01-16 02:05]

7

境界について

装飾

真に装飾的なる装飾は、一定のコード化された装飾の縁《ふち》にある。

［2012-02-02 12:34］

クリティカル

不健康さと健康さの際のところ、その危機的な「閾《いき》」にそそがれる眼差し、僕はずっとそこにこだわっているわけです。それが僕にとって危機的＝批評的、クリティカルであることなんです。

［2011-12-17 02:43］

ロットリング

桜玉吉の『しあわせのかたち』がファミ通に連載されてた八〇年代末。玉吉の影響を受けてロットリングでイラストを描こうとした人は、けっこういたんじゃないかしら。小六の僕はとにかくロットリングが欲しかった。高かった。

［2012-11-05 18:29］

雑書《ざつがき》ノート

ノートをいかにラフにとるか。高三の頃は、移行措置として、「きちんと書くノート」と「雑にメモをするノート」の二冊をつくってました。後者は、字も速記的に書く。後者には、授業と直接関係ない、ふと思いついたアイデアなんかも書く。そうすると、次第にウェイトが後者に移っていったんですね。

[2011-12-27 13:19]

僕としてはむしろ、「過剰に美しくノートを書こうとして、そのことが、アイデアの多方向のつながりを阻害していないか？」をチェックするべきと思う。僕としては、むしろ汚くて「横断的」なノートがいいんです。

[2011-12-27 13:25]

ノートは、矢印や囲み、つながりの網状の線などを活用して、論理を一直線でなく展開するのがいい。手書きノートと、ワープロで文章を書くのとで違うのは、前者では、二次元的に多方向に拡がる論理を、視覚的に一望できることなんです。そこから仕事が始まる。

[2011-12-27 13:28]

ちなみに、高三の時につくったのは「雑書《ざつがき》ノート」と名づけていて、これは一冊だけで、全教科の授業で使いました。なので、世界史や現代文や数学や英語や、等々のメモが断片的に混ざっていて、そこに批評的なアイデアも書き込まれる、というわけです。このノートが卒業までに数冊溜《た》まった。

[2011-12-27 13:33]

小石のように

思考の流れをつくるためには、「流れなければ！」とテンションを高めるよりも、思考のブロックを小石のようにジャラジャラと持っておいて、その順序をいつでも変えられる余裕をもったほうがいい、と思う。

[2011-12-11 13:54]

中島先生

中島先生の指導方法は、極端な大問題について想定される対立的な二つの解ではない「第三の道」を提示させ、かつその第三の道もまたアポリアに陥ることを思考させ、そのアポリアのただなかに逃走線を（つまり第四の道だろうか）見つけさせ、それをあるイディオムで語らせる、という感じかもしれない。

[2013-11-12 00:09]

悪魔

僕が小学の頃って、マンガとかのサブカルチャーで、悪魔っていう存在への複雑な思いがあったけど、近年の子供にとって悪魔は重要なのだろうか。

[2012-05-20 16:21]

そんなジャッジ

「一般的なメンズファッションとしてどうジャッジするか」というジャッジなど恣意的《しいてき》にしか成立しないと言ってるんですよ。そんなジャッジはそこらの男性誌の世間話にすぎない。批評というのは、「一般的なメンズファッションとして」という前提への信頼を放棄させるために行うものです。

[2013-10-04 02:13]

ラッセン

僕が、ラッセンなど、ある価値観から評価した場合に「明らかにダメな」ものを積極的に扱うのは、本当の良さが分からないからでもなければ、本当の良さに対して「逆張り」をしているのでもありません。「本当に良いもの」など存在しない。良い（かつ悪い）ものは複数存在することを示すためです。

[2013-10-03 23:31]

足場を組むように

足場は、組み始めはグラグラしていて、鳶《とび》はそこに乗りながら、部品をはめていってだんだん構造を強くしていく。ある対象をめぐる言説、メタ言説というよりむしろ、その対象の側方にある「パラ言説」をつくるときの感覚だ。足場を組むように書く。

[2012-03-23 10:20]

半端

日本酒は半端《はんぱ》にアブストラクトだ。

[2012-01-29 23:50]

耽美主義

ダチョウ倶楽部の、リアクション芸に至るまでの完璧にプロフェッショナルなトークと身ぶりの流れの様式美に心癒されたりした。ああいうものはお涙ちょうだい的なものと比べてはるかに芸術的ですね、と言ってしまう僕はやはり耽美《たんび》主義なのだなと思うわ。

[2013-01-02 00:06]

悪霊の神々

ドラゴンクエストⅡは、サブタイトルが「悪霊の神々」だけど、「悪霊の神々」ってどういう（宗教学的な）概念なのか意味が分かんないよね。

[2014-01-26 02:05]

避妊的なる概念

「概念」について「妊娠」のメタファーで語るのは僕は嫌いだ、むしろ避妊的なる概念について考えたい、ということを『現代思想』連載の今号で書きました。

RT @sskyt: 哲学が概念 conception を用いて思考するものであるかぎり、すべての哲学は臨床哲学ならぬ着床哲学である。

[2013-05-09 17:03]

いつ頃から

ぶっちゃけて言えば、という話法が会話で多用されるようになったのはいつ頃からだろう。僕が中学の頃は使われてなかったと思う。

[2013-05-13 20:24]

サディズムとマゾヒズム

サディズムとは、法が決壊する点において外部を希求するものであり、これは否定神学的です。しかしマゾヒズムは、与えられた法（世界のあり方）を決壊させたりせず、それを受け入れた上で変形してしまう（＝二次創作的）。そこに作動するのが〈形成的で複数的な否定性〉である。

[2010-03-28 21:17]

ここで重要なのは、ドゥルーズが、サディズムよりもマゾヒズムのほうを言祝《ことほ》ぎつつ、しかしサディズムはダメだと言っているわけではないことです。ドゥルーズは、最終的にマゾヒズムに肩入れするものの、まずはサディズムの論理を明確化し、それをそれとして認めることから始めている。

[2010-03-28 21:22]

クリティカルな思考は、いったん否定神学を経由し、放物線状に折り返して、形成的・複数的否定性の本源性へと降りる。しかしまた、否定神学へと上昇し、また折り返して下降し、ということを反復する。「人間」はどうしてもこの往復運動をしてしまうように思います。いまのところの考えですが。

[2010-03-28 21:27]

スイッチ

論壇的な、厳密さの基準を緩くした語りからこそ生じる創造性がある。それは、神経症をやめて語ることだ。アホにならないとできない創造がある。他方で、神経症的だったり自閉症的だったりのアカデミズムがもたらす成果がある。両方必要。これは、異なる病態をスイッチすることかなと思う。

[2013-06-02 11:25]

ジャンル不明の文章

デリダは哲学と文学のあいだで書いた。ドゥルーズにもそういうところがある。そういうやり方に影響された日本人もかつてはいた。このごろはいなくなった。どうしてだろう。明晰《めいせき》に簡潔にアーギュメントを立てるのもいい。だが、そればかりでいいのか。ジャンル不明の文章を、もう一度書こうではないか。

[2013-06-11 01:13]

道徳的

定食屋。テレビで、穴を掘ってた男性が生き埋めになって死んだというニュース。それを聞いて、客のばあちゃんが、行いが悪いとひどい死に方するんだよ、と言う。何の文脈もなく。自分は道徳的だと思ってるんだろうか。イラっとした。

[2012-07-21 21:00]

一九九五年の切断

しばしば一九九五年の切断が云々されて、九〇年代後半、ゼロ年代（そしてテン年代）という二つ（三つ）の時期の対比がされるわけですが、九四年あたりの、バブル崩壊後の苦境がまだ本格化していない際《きわ》のところは、どうなのか。

[2010-02-28 14:55]

オウム真理教事件、阪神淡路大震災、エヴァンゲリオンへとすべてが倒れ込んでいくその手前に、なんとも幸福に気《け》だるい時間があったように思う。ところで、Megoレーベルが設立されたのは九四年で、Pitaの初録音は九五年。このあたりを境に、いわゆるエレクトロニカの時代が始まる。

[2010-02-28 15:04]

九五年以前に物心がついていた人々は、自分に絶対的に発言権が与えられていないという経験をもっている。デジタルネイティヴにはそのことがわからないのだよ、と授業で話した。

[2015-06-18 20:48]

若干遅め

スローモーションの魔術。どんなジャンルでもあえて低速にすると、高速なものより尊重されやすいような気がする。思わせぶりに長い小説、眼前でゆらりゆらりと手足をくねらせる人物、バラードほどではなく速いがそれでも若干《じゃっかん》遅めのBPMにしたポップス、等々。

[2013-01-28 00:03]

いい加減に

グレーゾーンを、形式的に法を徹底せよということで排除すると、法の「善用」にならなくなる。一貫性した対処を欲望するのは、一種の神経症である。「一貫性なき世の中でいい」ということ（これは、法を執行する担当者はそう明言できないことだが）にしておけない人は、病んでいる。

[2013-06-23 00:48]

挑発的に言うと、法をきちんと徹底できないという状況に対して治療が必要なのではなく、法を徹底して執行し、すべてを公明正大にしたいという状況に対して治療が必要なのである。精神医学的には。

[2013-06-23 00:50]

世の中はどんどん、いい加減にしておくということができなくなっているのだろう。いい加減というのは、いわば「痴呆性《ちほうせい》の善用」によって、まさしく望ましい加／減のバランスを、暫時的《ざんじてき》に調整することに他ならない。それができない社会は、可塑性《かそせい》を失って硬直化するしかない。

[2013-06-23 01:08]

瞑想

タバコを吸っていたら、ブッというよりビッというような湿っぽい音の屁が出たので、さっき入浴中にマインドフル瞑想《めいそう》をしていた際、一瞬ケツに水がヒョッと入ったような気がしたあれが漏れたのではと心配になり、トイレに行って拭いてみたが何も出ていなかった。瞑想で心配性は解決していなかった。

[2016-04-24 23:13]

サブカル

九〇年代おしゃれサブカル的なものを、ゼロ年代以降の全面的オタク化および再大衆化（ＡＫＢとか）に比べ、恥ずかしかったよねーあの時代、みたいなのにはちゃんとアンチを言わないといかんと思う。

[2013-09-06 17:17]

マイナーバンドを知ってる俺かっけーみたいなのは恥ずかしいにしても、オタク的でも大衆的でもない感性にきちんとyesを言う場がないのはひじょうにマズいと思う。

[2013-09-06 17:17]

というか、「マイナーバンドを知ってる俺かっけーみたいなの」とかいう圧縮されたアイロニー表現自体が二〇〇〇年代以後的なもので、正直、この手のアイロニーを「とりあえず噛ませておく」というアイロニーの定石化自体、僕は基本的に好きではない。世間がそうなってるから合わせてるだけだ。

[2013-09-06 17:51]

入門書

僕の勉強経験では、とくに入門書の類ほどちゃんと買ったほうがいいと思うのね。入門書は借りて済ませて、本格的な文献は買う、というふうに分けるのではなく（経済的にそうせざるをえないことが多いのはしかたないけど）。入門書もあちこち書き込みをして読み、読み返す。

[2013-10-05 01:31]

本に書いてあることを身につけようと思ったら、本を汚さないようにキレイに読んで後で古本屋にできるだけ高く売ろうとか思ってたらダメですから。参考程度に読むものは別として、身につけようとする本（教科書がその代表）への出費は、これはもう出すしかないと諦《あきら》めるべき。

[2013-10-05 01:48]

健康すぎる

『暇と退屈の倫理学』での「環世界移動能力」の話は、大枠としては、僕も同じことを考えているのだが、どうにもニュアンスが違うと思った。ひじょうに説得力があるが、一抹以上の違和感がある。なんだろう。直感的に言うと、「邪《よこしま》なところ」が希薄にすぎるように思う。健康すぎる……。

[2011-10-25 02:18]

仮である

情け容赦ない地震であらためて思うのだけど、こんなに不安定な接面の上に乗っているこの国では、「仮である」ことをなんとか乗り切り続けるという文化を研《と》ぎ澄《す》ますことが本質的課題なのだろう。それは、大陸的なしっかりした体系をつくる文化とは「地盤からして」違うのだ、と。

[2016-04-17 14:11]

散文と韻文

世界が散文であることに耐えられない。すべてを韻文《いんぶん》にしたい。部屋をきれいにレイアウトするというのは、韻文化の欲望だ。しかし、何の気づかいもしていないそっけないサラリーマンの部屋、僕には決してそんな部屋作りはできない無造作な部屋、その散文性は、エロい。

[2016-09-05 00:57]

散文はエロい。韻文にもそれなりのエロさがあるがそれを凌駕《りょうが》するものが散文にはある。なぜか。散文は、予想外のジグザグをたどり、期待を裏切るものであるからだ。韻文は期待の地平にある。どんなに変な言葉づかいをしても、変な言葉が共存する地平がある。散文は真の冒険だ。おそらく。

[2016-09-05 01:14]

乱暴な散文を書くこと。そこに真の「韻」がある。のだろう。

[2016-09-05 01:17]

一定のお約束を守って書かれる、いかにも査読論文らしい論文というのは、韻文である。言うまでもないが。

[2016-09-05 01:19]

散文とは雑音交じりであり、ゴツゴツしていて、いたるところに腫瘍《しゅよう》や炎症があり、爛《ただ》れていて、あるいは急にスベスベであり、ひび割れがあって、要するに荒野なのである。そのことを見ないようにするための工夫が韻文である。

[2016-09-05 01:24]

しかし明日もまた、僕は、韻文めいた散文を書くだろう。真の散文を書くという課題は、まだ先送りだ。

[2016-09-05 01:28]

根本的な権威性

文系と理系の根本的な社会的意味について。理系は計算。じゃあ文系はどうかというと、根本的なのは「権威」の設立・維持と操作だと思う。計算と権威。この両輪で人間社会が動く。

[2019-02-28 14:46]

権威って言葉を聞くと悪いものだと思う人が多いと思うけど、それでは考察したことにならない。必ず、誰もが何らかの権威性に頼って主体化している。この、主体化にとって根本的な権威性を取り扱うのが文系で、これは理系＝計算では取り扱えない。

[2019-02-28 15:00]

8 秘密について

あまり頻繁に

スパークリングワインを果汁で割ったものって、単純だけれど、すばらしいなあといつも思う。そう思えるためには、あまり頻繁に飲まないことが大切ですが。

[2010-07-13 03:11]

オーバーサイズ

やはりピカチュウやガチャピンの着ぐるみでセンター街をたむろっていたギャルは偉かったと思うが、「着ぐるみん」と呼ばれたあのスタイルは、オーバーサイズのものを着ることによる幼児性&不良性の誇張、という日本ヤンキーファッションの伝統に則《のっと》っているものだったと思われる。

[2011-08-21 13:00]

ダブダブにするか／ピチピチにするか、という両極は、サラリーマン・主婦的な程々のサイズ感に対する反抗的な表象として機能している。ところが、ダブダブとピチピチは、どちらも主流派へのカウンターでありながら、互いにどちらが up to date かを争いもしている。B系 vs お兄系など。

[2011-08-21 13:06]

人の信頼性を身なりが規範的かどうかで判断する文化があるからこそ、着崩しのカウンター美学が成立するのだろうか。社会的人物評価からファッションが解放された社会になったら、ストリートの色気はなくなってしまうのだろうか。ジレンマだ。

[2011-08-22 15:10]

そういう気がしてしまう

酒瓶《けん》が透明で青みがかっていたりすると、酒の味も爽快なのではないかという臆《おっ》見に囚《とら》われる。そういう気がしてしまう。それでいいのかもしれない。

[2016-01-08 23:35]

非西洋的個人主義

個人主義と言えば西洋で、西洋的個人主義ということになるが、それとは違う「非西洋的個人主義」を考えてみること。

[2013-08-24 19:59]

どっちなんスか？

先日109‐2の店でオラオラっぽいスウェット見てたら、店員さんに「格好カジュアルなのにそういうの見るんスか？　どっちなんスか？」と早口で問いただされて言葉に窮《きゅう》した。

[2010-04-16 17:01]

※109‐2（現在はMAGNET by SHIBUYA109というらしいが、行ったことがない）は、二〇〇〇年代にはギャル男ファッションに特化していた。

別のドトール

地下鉄のところのドトールが、連休中は閉店なので、近所の別のドトールへ。いつもより大きなテーブルでのびのびしている。今日はすこしテンションを下げて、ゆっくり仕事をしたい。

[2011-04-29 12:43]

年末のムード

お茶漬けをかきこむCMが一瞬で終わる。寝間着のスウェットのままで灯油ファンヒーターに当たりながら、炊飯器やトースターがある棚を見ていて、徳永英明が歌う名曲?のカバーが流れている。大げさなストリングス。紋切型の数々がつくる年末のムードは、たぶんタナトスに駆動されている。

[2013-12-31 10:55]

解離と再連合

初期ドゥルーズにおける「大陸から無人島への漂流」といった印象的なテーマが示唆しているのは、実のところ、ディソシエーションの哲学という構想ではないのだろうか。認識も社会も解離しうる。そして再連合しうる。「別のしかたでの連合がありえたかもしれない」という反実仮想に取《と》り憑《つ》かれながら。

[2010-01-12 03:28]

とすれば、『千のプラトー』がいう領土化・脱領土化・再領土化という三つ組みは、連合・解離・再連合というふうにパラフレーズできる。

[2010-01-12 03:29]

バラバラに

ストリートダンスを踊れるようになるために身体の各部を分離してバラバラに操作できるようになること、ピアノのメカニカルトレーニングで指がバラバラに動くようにすること、日本語の語句を文法機能によってバラバラに意識して並べること、これらは本質的に同じことだ。

[2016-01-30 11:25]

もはや倫理がない

中島先生曰《いわ》く、ドゥルーズ的な「生成変化」には倫理が残っているが、荘子的な「物化《ぶっか》」にはもはや倫理がない……。これは、いったいどういうことなのか。それを解き明かすのが今度の書評のテーマ。モラルでもなく、エチカですらもないものへ。

[2009-12-19 22:13]

宇宙的郷愁

ツイッターは身元がある程度分かるので発言にそれなりの責任が帰属しますが、チャットは匿名の集まり。いちど会った人と再会できるかどうかもわからない。その不確定性に、ある種のロマンティシズムを感じていて、それが高校時代の僕の「宇宙的郷愁」（稲垣足穂）であったと思う。

[2009-12-06 04:29]

紺の前掛け

酒屋の名前が書いてある紺《こん》の前掛け？ あるじゃない、居酒屋の兄ちゃんが腰に付けてたりするやつ、あれかっこいいなと思って。どうでもいいことだが。

[2012-09-10 16:01]

アマチュアイズム

メンズエッグのヘア特集を買ったけれど、後ろのほうのネタコーナーで色々とコスプレをやっているなかにホストのコスプレがあった。で、モデルたちのホスト姿が言祝《ことほ》がれているかというとそうではなく、からかいの対象になっている。つまり、メンエグはホスト系にはきっぱり距離をとっている。

[2010-01-04 03:43]

ホスト系を全面的に支えているメンズナックルと、メンエグの違いは思いのほか大きい。メンエグが支えるのはあくまでギャル男であって、それはイベサー文化に浸《つ》かった学生かフリーターか、といった客層になるのだろう。重要なのはアマチュアイズムであって、お水のプロフェッショナリズムではない。

[2010-01-04 03:47]

バーボンソーダ

ひとくちばかりのバーボンソーダを寝酒にしている。六時を回ってから寝るのは久しぶり。昔はこんな日も多かったけれど、体力がもたなくなってしまった。

[2010-01-01 06:16]

好きだったり

僕は、一貫性のある人が好きだったり、一貫性のない人が好きだったりする。

［2013-05-16 21:04］

ごたまぜ

ギャル男のスタイルは、強い言い方をすれば、ごたまぜの「被差別スタイル」を肯定化することだった。ネイティブアメリカンの髪、黒人の肌、女装するオカマ、肉体労働者、チンピラ、深みのない存在への開き直り……。こうしたごたまぜが、ほとんど芸術的ですらあった時期を僕は思い出す。

［2013-09-24 20:23］

僕は渋谷と新宿二丁目のあいだでギャル男文化の盛衰を見てきたことになる。サーフ系からギャル男へ。ゼロ年代の半ばには、今は亡き歌舞伎町の大バコCODEでのねるとんイベントFriendsでも、ギャル・お兄系が集まってトランスを流し続けるエリアがあった。

［2013-09-24 21:01］

密室

あらためて戻りたいのは、やはりエドガー・アラン・ポーなんですよね。彼は、ミステリの祖である、つまりエンタメ小説のひとつの祖型を与えていると同時に、マラルメみたいな難解な詩に方法論的な基礎を与えた人でもあるわけで。つまり、ポー的文学空間においてエンタメと現代詩が並び立つはず。
[2010-10-08 00:18]

ミステリも、近現代詩も、密室性を構築するわけです。そして詩は、その短さ（ポーは詩は短いものだということを強調している）において、極まった密室劇であるわけです。
[2010-10-08 00:26]

しかし現代詩においては事件の展開がくどくど説明されないし、はっきりした事件解決がない。つまりロゴスで割りきれない。分かる、というカタルシスがない。が、なんじゃこりゃ、ドドーン！　というショックがある。それを楽しむのは、ハリウッドのパニック映画くらい現代的であるのではないか。
[2010-10-08 00:35]

つまり現代詩は、ハリウッドのパニック映画くらい「現代的に怠惰《たいだ》に」楽しめるのではないか。もちろんそこを入り口にして、そこで起こっている事件の細々としたところへ降りていくこともできるし、それが推奨されてしかるべきだが、さしあたってはドドーンの怠惰な楽しみでもいいのではないか。

[2010-10-08 00:37]

僕などは本当に怠惰だから、努めて見てはいるがエンタメでさえ長いものはダルいのだ。もうキャッチコピー＋αだけで十分である。密室劇も、なんか密室でワクワクすんぜ、で、結論は？　くらいで十分。小説のスタンダードな枚数はもっと減らしてほしい。だいたい学術論文は五〇枚以下だ。

[2010-10-08 00:44]

そうなると、である。僕の怠惰は徹底すると、もう密室劇の結論を押しつけられることさえダルいのである。それが楽しいんじゃないのかと言っている人たちはまだまだ怠惰でない。僕はもう、あ密室？　くらいでいい。そうなると、詩である。

[2010-10-08 00:47]

詩は、筋の展開どころか語と語の関係レベルで密室であり、それを短く放り出して終わりである。詮索《せんさく》しようと思えばできるが、そうしなくても音声的な魅力にノっていればあっという間にいちおうの鑑賞ができる。

[2010-10-08 00:49]

しかしねえ、語や音素レベルの密室が密室であるとわかるには、この世間を覆っている「意味が分かることの覆い」をいったん取らないといけないのかもしれないから、やはりその突破に精神的コストがかかるので、それはまったく怠惰なことではない、ということになるのだろうかな……。

[2010-10-08 01:01]

セクハラの芸術化

キャバクラは「セクハラの商品化」だ、という表現から思いついたが、文化史にはおそらく「セクハラの芸術化」と言えるかもしれないケースがあり、その伝説的な一つのケースはたとえば志村けんであろうな、と。

[2013-06-18 18:01]

ポーズで倒す

変態仮面が敵を倒すパワーを発揮するときは、ポーズするのよね、硬化したポーズ。これが色々考えさせる。敵は動き回るけど、変態仮面はポーズで奴らを倒す。

[2013-06-12 00:22]

それ自体としての筋肉

使える筋肉でなければ、というのはよく言われるが、目的性があるかないかというのは芸術の問題として考えられる。ボディビルでは、外的目的ではなくそれ自体としての筋肉を求める。それは言語のあり方で言えば、詩に他ならない。ボディビルとは、あるいは、フォーマリズムである。

[2017-01-08 23:10]

無慈悲にも

従兄弟が「僕はアイスはハーゲンダッツしか食べられないんだ」と無慈悲にも祖母に吹き込んで以来、善良な祖母は親戚が来る時期にはハーゲンダッツを欠かさなくなった。

[2016-01-23 23:48]

教養教育

そういえば、大学は「人材」などをつくるところではないというツイートがあったんですが、つまり、人間を労働機械にするところじゃないわけですね。企業が押しつけてくる労働道徳に対して、は？アホじゃね？と冷ややかであることがデフォルトの人間を育てる、それが教養教育である。当然のことです。

[2013-07-13 16:05]

権威主義

インターネットの全面化後の日本で、文化における権威主義は本当に本当に嫌われるようになった。結構なことだと思う人も多いのだろう。僕はそうは思わないのだが。

[2015-06-18 20:12]

存在の事情

世界には複数の秘密がある。この考えは神秘「主義」ではないし、宗教的でもない（宗教はおそらく複数の秘密に依拠しており、後者の方が第一次的である）。秘密は、人間的な事情というわけでもない。非人間的な「存在の事情」としての複数の秘密。それらに関わる人間文化の領域がある。

[2012-07-03 15:43]

あの面

初期ファミコンの横スクロールアクションゲームには、3面くらいに「南の島の面」があって、僕はいまでも夏になるたびに「あの面」が地球のどこかにないかと探しているのだが、どこにもないのだ。松岡直也の虚構のラテン音楽は、そういう気持ちと共鳴する。

[2016-04-23 23:57]

身体技法

コンビニで若い男性店員が、身をかがめ気味で、動きにも言葉にもごくわずかのタメがあって、なんというか「奉公」してるみたいというか、へえ旦那、みたいな感じなのだがあの身体技法はどこで身につけたのか。フランス人の旅行者が見たら、忘れ得ぬエキゾチックな思い出になるんじゃないかと思った。

[2017-03-09 19:04]

動かしがたさ

ある意味で、現地調査をしたり資料を見たりして事象の「動かしがたさ」を調達し、それにもとづいて何かを書くことと、サイコロを振って5の目が出たという「動かしがたい」結果の下で、詩を五つの連で書こうとすることは、根底的には、同じではないだろうか。

[2018-04-13 10:02]

非規範的なシャッフル

乱交というのは極端な行動と思われるかもしれない。けれども、「健全」であるとされるような一対一の夫婦モデルではない、多様な性関係、パートナーシップを肯定するには（夫婦モデルもそれらのなかの一つとして肯定するには）、改めて、乱交の権利を認める必要があると思う。

[2011-11-02 17:08]

乱交という言い方が「ダーク」にすぎるなら、〈性関係の非規範的なシャッフル〉とでも言おうか。既成権力は、支配しやすい羊たちとしての市民を、牧場としての「公共性」を、（正しい生殖によって）再生産するために、〈性関係の非規範的なシャッフル〉を抑圧する。

[2011-11-02 17:39]

饒舌

饒舌《じょうぜつ》に書くことを恐れない。ということについて考える一日だった。ある時期から、できるだけ節約的に書くよう努めてきた。そういう方針というか、一種の自己規制を見直そうとしている。

[2015-08-13 19:01]

言葉の勝手に任せることはなかなかに恐ろしいことだ。筋肉が意志を離れて走り出すような恐ろしさがある。

[2015-08-13 19:03]

饒舌という言葉を一時期から避けてきた。「余裕こいてるような」感じを恥ずかしく思った。逆に若い頃は、余裕こいてるような饒舌さをカッケーと思っていた。それを前時代的な恥と思って、減算的な書き方になり、そして、自分が主人なのではなく言葉に率いられる饒舌さもわかるようになってきた。

[2015-08-13 19:08]

9

恥について

新宿に似合うのは

やはり新宿に似合うのは椎名林檎ではなく浜崎あゆみなのだが、マジであゆの音楽で泣き、励まされる人々が確かにいて、僕はその脇をすれ違い、ちょっと交わって、一人に戻って肩をすくめる。徹底的に凡庸に恋い焦がれ、デパスで抑えてレンドルミンで眠るような音楽。

[2010-04-23 00:58]

線

考えたこともない生の様態に出会う。生の、あるいは性の。闇のようにしか見えなかったところにいくつかの線が引かれる。それを辿《たど》っていくつかの、既知の喜びに似た情動に出会う。その先に行くには、変身の勇気が要る。

[2011-09-12 16:55]

即興

トゥオンブリに関して、平倉くんは「あれは手癖で描いているだけ」と切り捨てていました。僕の記憶では。

[2014-03-05 21:08]

むしろ手癖しか褒《ほ》めどころがないってのを徹底するというのが好きなんだけどな僕は。

[2014-03-05 22:58]

キース・ジャレットの即興の、CとGを反復してるだけで恍惚《こうこつ》状態で偉そうにゲージュツしてる感じとか、手癖しかなくてすばらしいと思う。

[2014-03-05 23:03]

タモリの「白鍵だけ適当に弾いてれば誰でもチック・コリア」という芸（キース・ジャレット風にもできる）は、あれはマジであって、その演奏を恥ずかしげにやると「～風」のギャグになり、マジで神がかってやれば本物になりうる（ある程度指を動かす基礎技術は必要だけど）。要はナルシシズムの徹底。

[2014-03-05 23:25]

即興パフォーマンスに必要なのは自分をマジで神秘化する気合いである。

[2014-03-05 23:26]

ナルシシズムを高レベルに発揮してパフォーマンスできるタイプの人間に対しては必ず、ひがみとか妬《ねた》みまじりの罵倒《ばとう》が向けられる。そういう人たちに対しては、恍惚を発揮することは「技術的にエクササイズ可能」であると言いたい。「狂ってしまって平気」のオンオフの練習ができるということだ。

[2014-03-05 23:34]

あ、これって宮台さんのナンパ論ときわめて近いことを言ってるのか。

[2014-03-05 23:35]

だから、タモリの「誰でもチック・コリア」の罪は、こんな簡単なこと＝「真似」の前景化であり、あの芸から学ぶべき真理は、チック・コリア（の一部のピアノ曲）は本当にああなのだということなのであって、本当に誰でもチック・コリアと対等になれるということなのである。

[2014-03-05 23:53]

最大の課題

キリスト教の根源から考えても、人間文化にとって最大の課題とは、四方八方から責め立ててくる「恥ずかしさ」と闘い、恥ずかしさを非意味的に切断するということではないだろうか。

[2014-03-06 00:03]

人生でどういう可能性を採れるかの範囲は、しばしば、何を恥ずかしいと思うか、何が自分の尊厳に抵触するか、という基準で塑形《そけい》される。だが、恥と尊厳の構造は変えられる。それによって可能性の範囲が変わる。恥知らずになればいいと言いたいのではない。恥と尊厳の「一定の」構造を別のしかたにする。

[2015-02-06 00:56]

その構造をよく分析できていない自分の尊厳をこれまでそうだったからという理由で維持すればいいというものではない。自分の尊厳を（どうやっても不完全にしかできないにしても）分析してみること。「尊厳の可塑性」を考えてみること。

[2015-02-06 13:00]

クマノミ

あのアニメのせいで、クマノミのことを「ニモ」と呼ぶ人が増えたことは極めて嘆かわしいことである。「クマノミ」と呼ぶべし。

[2013-08-25 20:32]

たまたま雨の日

午後の仕事に入る。雨は嫌だな。さあ今日は一日かけて山積してる課題をこなそうという日に、たまたま雨の日が当たると意気を削《そ》がれる。

[2013-05-19 16:01]

下品さ

ある種の下品さを批判するからといって、自分は上品だと思っているかというとそうとは限らない。それは、〈異なる下品さ〉〈別のしかたでの下品さ〉を指し示しているかもしれないからだ。複数の下品さ。ある下品さから別の下品さへ。

[2013-09-07 01:38]

駐輪

この幅広な歩道を、完全に駐輪禁止にしている必要があるのだろうか。端に並べて停めれば、車イスも十分通れる。ここにはそもそも点字ブロックがないので視覚障害者は通りにくいから、まずそれを敷くことが先決だろうと思うし。

[2013-09-24 11:22]

こんなスペースには、なんとなく本をブラウズしに来た近隣住民の自転車が並んでいるのが自然なはずである。そしてここのメインエントランスにも点字ブロックがない。いったい何のためにこのスペースを塞《ふさ》いでいるのか。

[2013-09-24 11:41]

男と女

オネエ系タレントの活躍は、同性愛者状況の改善の呼び水としてはいいんだろうけど、「男の同性愛＝体は男だけど女心で男を愛する」みたいな紋切型のイメージはまずいわけですよ。同性愛者には色々いるわけで。でも「男と女」というフレームがないと、たいがいの人は安心できないのだろう。そこが問題。

[2013-05-12 00:28]

直観に反する

ふう。文献読み。それにしても、英米系の人がよく書く「これは直観に反するけれども」とかいうの、あれは「誰が」「誰に向けて」「何の権利で」言ってるのですかね。意味が分からないわ。

[2013-04-01 11:14]

怖がられる

「ふつうの人」に言うとよく理解されないというか、怖がられるだろう言葉。権力、他者、批判、国家、分析、解釈などなど。国家は「国」、他者は「他人」、分析は「よく考えてみる」などと言い換えながら話し始める。そういう工夫をすることはしばしばある。あ、「しばしば」もアウトですね。

[2014-01-03 19:47]

また、「ふつうの人」は、「~ねばならない」も怖がる。これは人文系でサラリと使ってしまうので、よくよく注意しなければならない。あ、やってしまった。

[2014-01-03 19:52]

世間

精神分析では、両親から受けた禁止や抑圧が重要な分析対象となる。これはしかし、無意識の問題をすべて家族内に閉じ込めることではない。両親の「法」は両親の本質ではなく、両親が「内面化してしまっている」法であると考えられる。この法は、社会ないし「世間」ではないだろうか。

[2012-06-28 11:32]

ノートは「リゾーム状」に

多方向に線を拡げるノートというと、「マインドマップ」のことを思う人もいるでしょう。僕も試したけど、あのメソッドも、不必要な美化へと向かってしまう危険がある。そして、中心アイデアを一つだけにして、そこから枝分かれさせるというやり方がよくない。それでは、放射状になってもツリー構造。

[2011-12-27 13:36]

標準的なマインドマップは、ツリー構造の思考をまとめるための手段で、要するに、ドゥルーズ&ガタリをふまえていないんです！　ノートは「リゾーム状」にとるべし。中心アイデアは、二、三個とかあっていい。そこから、ゆるく関連しあった複数の系列の思考を展開する。

[2011-12-27 13:39]

それゆえ、標準的なマインドマップとは違って、僕は、ノートのど真ん中ではなく、中心からちょっと左右に外れたあたりから書き始める。

[2011-12-27 13:39]

ドゥルーズ&ガタリの「リゾーム」っていう概念（ヒエラルキーのない多方向のつながりや切断）は、ノートの取り方に実装すると、体感としてよくわかると思うんです。

[2011-12-27 13:50]

インターネットはリゾーム状に「なっている」みたいなことが言われるけれど、それはそうとして、自分で「リゾームをつくる」ことをやってみるわけです。

[2011-12-27 14:06]

人生と学問

学問と人生論は違う、と学部のときにある高名な先生に言われ、それが雷のように響いて、しばらくはそう思っていた。そこから臨床哲学へと解放してくれたのが中島隆博先生だった。

[2011-12-20 18:12]

たしかに、フォーマリズム的な研究手法を教えるときには、いったん人生論からの切断を言わざるをえないだろう。が、この切断を分かった上で、人生と学問を改めて出会わせることである。

[2011-12-20 18:16]

身体の虚構化

結局、魔裟斗《まさと》の何が芸能化を失敗させたかと言えば、簡単なことだが、自分の身体を「虚構化」することへの「恥ずかしさ」、「怯《おび》えのようなもの」があるからではないかと思う。それは、現代っ子としては珍しいくらい。『はるちゃん』を一瞥《いちべつ》すれば明らかだが、あれほどの大根役者は、なかなかいない。

［2011-12-01 15:04］

どこにいるのだ？

脱構築的な論理回しを得意としつつもメタ批判にメタ批判を重ねるばかりでなくメタ批判の綾のただなかからある具体的なテーマを積極的にユーモラスに提示しそれを核とするひとつのアーギュメントを建てながら結論に複数性を帯びさせることも忘れないガッチリ色黒のラグビー部員はどこにいるのだ？　[2013-07-31 14:26]

0・3ミリのシャープペン

神経質をやめるっていうのは、高校三年くらいに自覚して、生き方を変えようと思ったんです。昔は、ものすごく几帳面《きちょうめん》に、0・3ミリのシャープペンで、印刷したようなノートを書いていた。でも、これって形式主義で、内容よりも見た目になってしまって、本末転倒だから止めたんです。

[2011-12-27 13:17]

大工

建築家よりも大工。アーキテクチャーよりもカーペントリー。

[2012-01-08 17:59]

もっと難しいこと

哲学と批評が水と油だなんて言ってのけることのあまりの容易さは誰でも知っていることですよね。ならば、もっと難しいことを考えなければならないのですよ。

[2012-02-26 03:18]

自己啓発本

「先延ばし」にしない技術、という自己啓発本を読んでみてるけど、きちんと生きなければ！　成功するぞ！　っていう強いタイプの本で、いまいちである。役立つところもあるけど、気合いの「抜き」方をうまく織り込んでいない自己啓発はクリエイティブにならない。多少適当じゃないと人生は芸術にならない。

[2012-05-15 14:38]

批評せよ

漠然とした自分探しではダメだ、自分の脳を分析的に批評せよ。

[2012-06-28 02:45]

ウォズvsジョブズ

定型発達的ケアの人vsサイコパスという構図は、すっごく通俗的に言うと、スティーヴ・ウォズニアックvsスティーヴ・ジョブズではないかと。接続的ドゥルーズvs切断的ドゥルーズって、ウォズvsジョブズってことか、と今日思った。

[2013-10-31 23:41]

ウォズが設計した初期のApple IIは、拡張カードを入れられるスロットがたくさんあって、まさしく接続的なパソコン。関係性のノードとしての存在。で、ジョブズが主導した初代Macintoshは、拡張性を限りなくゼロにして小さな閉じた箱にした。このアイソレーション。切断性。

[2013-10-31 23:45]

男たちよ

誰かの美しさに魅了され恋さえしているときに君、男たちよ、自分自身の美しさをはっきり認識することの奇妙な恐ろしさから、他人に恋することで逃れようとしているのではないかと考えてみたまえ、そう、自分自身こそ法外に美しいのかもしれないのだ。

[2013-08-23 18:56]

死の欲動

スノボを観ると、人間は死のギリギリでなんとかコントロールし切るということに強烈な快感をもつのだなと改めて思う。フロイトの言う「死の欲動」(タナトス)というものは、自然科学的には根拠を調べようもないが、現実のいろんな現象においてどうやら働いているらしいと考えた方が便利である。

[2018-02-15 10:29]

※その後、危険なスポーツは、死に近づこうとしているのではなく、生の過剰な発露なのであり、結果的にたまたま死に至ることがあるだけだ、と思うようになった。

岸さん

教授会が始まる前に松屋でばったり岸さんと会う。向こう側で手を振っているおっさんがいる。いかにも牛丼屋にいそうなおっさんが居並ぶ中に溶け込んでいて、その姿が浮き出してくるのに時間がかかった。と言ったら、千葉さんもこれから現場の鳶《とび》の兄ちゃんみたいでわからんかったわ、と言われる。

[2019-05-14 12:48]

10　孤独について

パニーニ

パリの味で思い出深いのは、レモンを搾って酸味を効《き》かせたスモークサーモンとマヨネーズのパニーニだなあ。ちょっと酸っぱいのがおいしいの。そして高カロリーだったろうなあ。

[2013-02-08 00:54]

年齢

あえて視野狭窄《しやきょうさく》にして思考に注力する時期と、頭をからっぽにする時期。オンとオフということだけれど、年々そのスイッチがはっきりしてきたように思う。年齢のせいかな。

[2011-07-17 16:59]

ウミウシ

一部のエコロジストにはイルカになりたいという欲望があるのかも。僕はイルカにはあまり興味がない。ウミウシの方がいい。

[2012-07-28 14:02]

冷ややかな水を感じながら岩陰で海綿を食べるウミウシ。大したコミュニケーションはしない。

[2012-07-28 14:04]

ホストたち

歌舞伎町の奥ですれ違う出勤前のホストたちのご面相が大したことなかったりするのも味わい深いものである。

[2013-05-03 11:35]

残酷

金儲けのための金儲けとか、権力欲のための権力欲で、とにかくいかに勝つかに特化した思考ができる人っていうのは、人間のやることをすごく残酷に判断できるんだろう。僕にはできないなと思う。そういう人が怖い。

[2016-05-20 23:09]

哲学

パリで気胸になって入院したとき、隣のベッドのおじさんは人工肛門の手術をしたばかりとのことで、辛そうに唸《うな》っていた。君はフランスで何をしてるんだいと訊かれたので、哲学の勉強ですと答えると、おじさんは、そうか哲学か！　……いいかい、真に恐ろしいことは死ではない、それは苦痛だよ、と言った。

[2014-01-18 10:13]

だろう

日本の人文系の学会なんかでも、背景に深い教養のある（だろう）一言をめぐって慇懃《いんぎん》なやりとり（社交）をしたりするのが多いと思うけど、僕はああいうの嫌い。なんでもっとクリアに互いのテーゼを主張しあい、その異同を確かめたり、両者にとって第三の道を探ったりとか、そういうことをやらないのか。

[2012-09-12 09:36]

常連

ところで、カウンターのあるレストランなんかで、いかにも常連という客が、お店の人たちに一杯どうとか言ってビールを奢《おご》ったりする一種の儀礼があるが、あれ、ふつうに忙しくきりもりしてる最中なんだから端的に迷惑なんじゃなかろうか。

※相変わらず僕はやらないが、歳のせいなのか、それもアリかと思うようになってきた。

[2015-06-18 20:39]

序破急

やっぱ好きな形式は序破急《じょはきゅう》ですね。博論もそうなってる。途中で壊れてきて最後

は突っ走る。そうじゃないと。（って玉砕精神的でよろしくないのかしら）

[2013-09-02 21:53]

けっこうガチ

男子小学生で憧れの職業はアニメキャラってのがけっこういるというニュースがあったが、あれはけっこうガチなんじゃなかろうか。そうであってほしいと思う。

[2013-09-23 21:23]

フォーマリズム

僕は、テクストの向こうに確固たる思想体系があるとは考えない。テクストの表面で、言表のふるまいを分析する。文学テクストでも哲学テクストでも同じく分析する。だから表象文化論で学位論文なのであって、そこに僕の矜持《きょうじ》がある。

[2011-06-21 15:52]

とくに哲学研究の場合、テクストを内容中心に読んで、表面の分析を軽んじるケースが多い。徹底して外面的な分析から、内容の読み方を変えてしまうようなやり方をする人は少ない。僕は一種のフォーマリズムを大切にする。

[2011-06-21 16:04]

ポストヤンキー化

宇都宮での僕の中学校時代、ヤンキーはちょうど〈ソフトヤンキー化〉というか〈ポストヤンキー化〉みたいな状況で、たぶん東京の不良がチーマーやギャルなどモテ志向込みになっていったのを遅れて追っていて、リーゼントなどではなく、軽めの茶髪で性的アピールが強い人々という感じだった。

[2011-08-24 01:54]

少なくとも九〇年代前半の宇都宮での状況では、ティーンエイジャーがみずからの身体を性的にアピールすることは、多くの場合、不良化と結びついていたように思うし、僕は当時、そうしたエロさとワルさに、基本的には反撥《はんぱつ》していたけれども、それは強く魅惑されていたがゆえのことだったと思う。

[2011-08-24 01:58]

友人の兄

小学校時代の夏休み、友人の兄がやってたドルアーガの塔を、固唾《かたず》を飲んで見守っていた記憶。

[2011-07-17 21:27]

俺

萱野《かやの》さんは自然状態から出てきた強者が、「これからは俺の許可なしに暴力をもちいるな」ってことを皆に強要すると書いているが、なんで一人称が「俺」なんだろう。俺のほうが強そうだからか。俺って、やはり現代の用法では男性でしょう。歴史的に強者はたいがい男性だった、以上。ってこと？

[2010-06-16 01:52]

俺っていう一人称ってさ、どうにも恥ずかしくて身につけられなかったんだよね。かろうじて「僕」なんだけれど。俺ってセクシーすぎるじゃん。素朴に俺って言ってしまえる人に惚《ほ》れるね。俺って言われると、ドキドキしちゃうのよ。

[2010-06-16 02:33]

地震

「イニシエーション」が最初に発表されたイベントの夜、僕もその場にいて、あの夜は、東さんと飲みながらセクシュアリティと生殖の話をしていた。それからすぐ、三月に僕は台北藝術大学で「インフラクリティーク」の講演をし、その翌日、地震が起きた。

[2012-11-23 19:00]

台北にいて何もできません……。しかし台北藝大のみんなが、ニュースを見て、それでかつてSARS危機のときに台湾で歌われたポップソングを教えてくれた。合唱が始まった。

[2011-3-12 01:30]

同調圧力

基本的に右ならえの同調圧力って苦手。二丁目のノリもそういうところがあって、一緒になってギャーギャー騒ぐのも楽しいのだが、やはりなんか乗り切れないな、と思ってしまう。マイノリティのコミュニティに入ってみても、そのなかでのノリ具合のマジョリティとマイノリティの溝を感じる。

[2010-04-21 05:11]

日本的な

斎藤環さんの議論でどうかなと思うのは、日本的な「つぎつぎになりゆくいきほひ」に乗った「アツい」関係性の押しつけがましさを「母性的」とし、それの個人主義的な切断を「父性的」とするところ。で、その父性は、結局、西欧的であると感じさせる。精神分析的一般論として分かりやすいが、粗くないか。

[2012-07-20 10:05]

日本文化について、母性的な生成変化とは違う原理（個人主義？　切断性？・）を考えるには、中国文化へのまなざしも欠かせないだろうし、そして日本の古層が果たしてすべて「つぎつぎになりゆくいきほひ」なのかどうか、別のアスペクトがないかを探らねばならないと思う。

[2012-07-20 10:08]

ヘア

そうそう、ギャル男の身体はヘアであって、それをまとめているのはスプレー、とりわけ「ＶＯ５」ですね。しかしあれはバリバリに固まるのでシャンプーが大変……。

[2012-03-02 13:55]

背中

ナン・ゴールディンの写真といえば、セックスと暴力とクィアですけれど、ざーっと見てるとポイントは「背中」なんじゃないかな、と思う。

[2011-12-22 01:19]

セックスの真理

精神分析的な見方。ベルサーニは、自我のまとまりが成立しておらず、複数の部分対象へみずからが引き裂かれている幼児期を考えている。そこに戻りつつ、しかし解体しきらないで、自我のまとまりをつくりなおすことが、セックスの真理であり、ゆえに「誰もがセックスを嫌っている」。危ないからだ。[2011-10-12 15:12]

エイズの拡散を避けるため、セーファー・セックスをしようというのはそうだとしても（本論文中でそうは言っていないが）、エイズが露呈させた自己粉砕（self-shattering）の恐るべき魅惑のただなかで、我々は相変わらず「嫌い」であるセックスをするのであり、それでよい、という結論。[2011-10-12 15:16]

ベルサーニの、マゾヒズム論をベースとしたこの破壊的セックス観は、男性的能動性が極端化した結果、裏返ったものとも言えるかもしれないし、もっとマイルドなセックスを第一次的と見なしたい向きは多い。が、攻撃性の裏返り説には、分析理論的に反論できる（ドゥルーズのSM論も援用できる）。[2011-10-12 15:22]

ともかく能動／受動の相補性の底を抜くまでにやばい受動性＝self-shatteringは、レヴィナスやデリダにも通じているし、色々な文脈とつながってくる。ベルサーニの分析理論は、受動的なナルシシズムの徹底が、破壊的に複数的な他者化とイコールになるという見方、と言えようか。　[2011-10-12 15:26]

こちらの商品は

いつも思うのだが、チェーン店なんかで、食べ物やサービスのことを「こちらの商品は」とかって、商品っていう言葉使うの、あれマニュアルでやらせてるのは客に悪印象だと思うんだが。商品って、カネで交換する対象ってことでしょ。こちらのお料理は、とか、大切な具体物っぽく言うべきでしょう。　[2012-10-12 16:32]

麺はクルトン

僕は工夫を凝《こ》らしたコンソメやポタージュの楽しみと同列にラーメンを考えているところがあって、そうなると麺《めん》はかなりどうでもいいのだよね、麺はクルトンみたいなものです。

[2013-05-23 19:42]

環世界

あるバーのママは言った。「ノンケと付き合えたとしてもどうせ彼女ができるし結婚ってことになるんだからダメよ、いい？「この範囲」で探すの、探せるのはこの範囲のなかだけなの、そう言い聞かせてきたわ」。こういうことに、ユクスキュルの言う「環世界」の異なりということのリアリティを感じる。

[2014-03-06 12:42]

ソクラテスとオイディプス

僕は昔からソクラテスの死の話がとても嫌いで、彼は工夫してどこかに脱出するべきだったと思っている。RT @Kierkegaard_bot: ソクラテスは、アイロニーを用いただけではなく、彼自身がアイロニーのために倒れるほどアイロニーに身を捧げた。

[2014-02-17 14:15]

だいたいオイディプスにしても、自分の出生の秘密を知ったところで自分の目を潰す必要なんかないのである。アホかと思う。

[2014-02-17 14:20]

オイディプスが最終的に出生の秘密を知ってやべっと思ったが目を潰したりせず国外脱出、道中いろいろうまくやりながら、異国のうまいもんとか食べてご満悦、いい感じの地方を見つけ、娘は娘で途中でどっか別の旅路に行くことになり、オイディプスは一人で新生活を始め、新しい友達もできる、そんな話。

[2014-02-17 14:42]

思想史に関して思うこと。アウグスティヌスも改心して教父になるのではなく、死ぬまで放蕩していてときどき反省するくらいだったらよかったのに、とも思っている。それでは歴史に名が残らなかったかもしれないが。

[2014-02-17 15:14]

見なかったことに

アイスケースに入るなんていうアホなことを自分で撮影してネットで見せるのは

確かにアホなのだが、これはどうでもいいことであって、罰せられるべきだとか思う人間は余裕がない人間だし、そして実際に解雇されたりというのはやりすぎである。こういうのはサラッと「見なかったこと」にするべきなのだ。

[2013-08-03 23:56]

場合によっては無視

ネットで個人の愚行が曝《さら》されたとしても、批判するかどうかは事の軽重によりけり、場合によっては無視する、という判断のリテラシーをもっと共有できないものか、というのは一種の「徳」主義なのかしらね。むろん事の軽重の判断は立場によって全然違う。

[2013-08-04 00:05]

座布団

修士までは中島隆博に読み書きの術を教わり、博士に入ってからは小林康夫にしゃべりの術を教わった。小林ゼミはまるで大喜利だった。いきなり作品やテクストを見せて、ハイ、何かおもしろいことを言ってみなさい。で、座布団がもらえるかどうか。その瞬発力を毎回鍛えていく。

[2009-12-10 02:01]

東京、京都、大阪

東京では、深淵《しんえん》から解離した空疎な記号が飛び回っている。京都では、記号が深淵と結びついて、厚みを持つものとしてある。いずれの都市にも、表面の現実と潜在的なものという二重性がある。だが大阪では潜在性が干上がっている。大阪には現実的なものしかないかのようだ。

[2018-05-29 11:12]

大阪において見られる狂気や暴力は、隠された潜在性の噴出ではない。それは現実的なものとしてただそこに転がっているだけなのだ。そこに謎は何もない。謎が完全に干上がっているということ、それが、謎を有する地帯から見れば、「別種の謎」なのである。そこに大阪の笑いがあるのだろう、おそらく。

[2018-05-29 11:16]

大阪にあるのは、純然たる行動である。純粋知覚である。カニを食べること……カニをただ黙々と食べることの裏のなさと同じ裏のなさで、人は狂気の叫びを上げ、愛し合い、徘徊《はいかい》し、あるいは発砲する。

[2018-05-29 11:25]

私性から始めて

僕はもともと私小説って嫌だったんだけど、小説にしても詩にしても私性から始めてどう離陸して行くか、なのだと思う。最近。ドゥルーズが、作家は神経症を手立てにものを書くのではないと言ったのを真に受けてたけど、あれはミスリーディングではなかろうか。「そこ」から始めて何処かへ行くしかない。

[2013-10-11 23:33]

そんなふうに

すごいな。盛大に椅子を引いて斜めになってる状態のまま、勢いよく店を出て行った。そんなふうになれたらと思う。

[2019-06-10 23:47]

解説　〈あいだ〉の秘密、〈あいだ〉の苦闘

小泉義之

喫茶店で本書のノートをとっていた。ボールペン手書きでルーズリーフの表裏四頁ほど進んだところで、Sam Smith の曲が流れてきた。ちょうど、「不健康さと健康さの際のところ」に「ずっと」「こだわっている」のあたりを書き写しているときだった。そこからの連想記憶を書きとめておきたい。

小林克也の『ベストヒットＵＳＡ』が始まったのは、一九八一年のことだった。すぐにＡＩＤＳ禍が始まった。公衆衛生が出張り、差別が蔓延し、実に嫌な暗い時代だった。その疫病下で「闘う」音楽を紹介してくれたのが『ベストヒットＵＳＡ』であり、なかでも一九八四年の Bronski Beat には救われる思いがしたものだ。私はまだ東京におり、著者・千葉雅也は宇都宮で小学校入学の頃だ。小林克也の紹介で Sting の Englishman in New York を見たのが一九八七年のことで、著者は小学校の中学年の頃だ。私は一九九〇年に着任した宇都宮大学でそのＭＶを流して授業をしたことがある。まるまる一時間、反差別、音楽の闘争について

アジり続けた。大教室だったこともあり、学生は異様なほど集中した。終えてからそれが少し怖くなって、以来、映像を使った授業は一度もやっていないが、いまとなって、著者が時折発信する「アライ」批判の強烈なツイートを読むにつけ、あの時期からのことを自己批判的に振り返ることがある。

疫病の時代は、一九八九年の東欧革命の時期に重なっていた。著者は中学校に入る前だ。疫病にせよ革命にせよ、そこで本当に格闘している人には、物を書く暇はない。書くにしても、昔の言い方ではアジビラしか書けるものではない。だから、事が思想的に語られるには、そこを潜り抜けた人を待つしかないと思っていた（ミネルヴァの梟は夕暮れに飛び立つ）。そして、スラヴォイ・ジジェクが出て来たとき、東欧革命についての待ち人がやって来たと思ったものだ。疫病については、それが強度を変えながら依然として続いているためでもあるが、いつまで待っても、やって来なかった。しかし、著者が多彩に書き出すにつれ、彼こそがその待ち人だったのではないかと思うようになった。かつてミシェル・フーコーが生き延びていたならと思ったものだが、ここに来て、彼はその線でもフーコーを引き継ぐ人であると思うようになった。掛け値なしに、私はそう思っている。

本書は、3・11以降、「社会のあちこちで分断が過剰に可視化されてしまった」Twitter空間の中で、「パラパラ漫画」のように「人生」の「仮の輪郭」を書きとめるものである。

若い読者には、幼い頃から慣れ親しんできた物事について、別のしかたを学ぶ格好の書物であろう。ポストヤンキー、「俺」語り、ブランド、商品、セックス、大阪、北関東といった「ネタ」を読んでほしい。きっと、日常生活で当たり前と思ってきたことを、かすかに揺さぶられ、むしろ快感を覚えるだろう。そして、その快感をうまく活用するには、「欲望の方向性」を分かることが必要であると思い知るだろう。

老若を問わず、誰もが感心するであろう箇所も少なくない。何よりも、帰省のときの「親類」ツイート。すでに名人芸の域に達していて、世評も高い。

一四〇字の「非意味的な有限性」のおかげでもあろうが、著者の寸言はシャープだ。これは引用させてもらうが、「プロレスとは、男同士のセックスを回避し続ける遅延の劇に他ならない」については、私は「殺し合い」を避けるものと解してきただけに、ちょっと震撼した。著者には「力の放課後」(『意味がない無意味』所収)という名高いエッセイもあって、もはや著者の仕事抜きに肉体や筋肉を論ずることはできなくなっていると思う。

著者の冴えを感じるのは、これも引用させてもらうが、次のようなツイートだ。「微弱な何かをスピーディーに堪能してすぐその場を離れる」。素晴らしいと思う。もちろん、逆に読んで、スピーディーにチラ見をするから微弱ではあるとか、あるいは、チラ見と微弱さが共立するのが運動イマージュそのものであるとか言えるのだが、堪能しておいて、「すぐ」離れると書く批評性が冴えている。野暮な註釈を入れておくと、凡庸な文学者や学者なら、抒情化してシンミリさせる描写とか、時を止めての厚い記述とかをやり出すのだが、著者はまさにそこから身をひるがえす。そうしてこそ、凡庸さを退けることができると軽く喧嘩を売っているのである。この観点から、「散文と韻文」をめぐる優れた連ツイについても読み直してほしい。

本書の中には、静かな憤りを湛えるツイートも含まれている。駐輪禁止をめぐるツイート、刑務所での反省をめぐるツイート、安全や透明性をめぐるツイートなどである。おのれの通念を揺さぶられるためだろうが、多くの人には炎上を招きかねない非常識に見えるようである。そんな世間の中で、著者は、いまや絶滅危惧種である啓蒙家と批評家の責を担っている。そのことには端的にリスペクトしかない。

しかし、著者の真骨頂はもっと先にあると思う。俗情との結託からは逃れられないと勇気をもって言い切った上で、俗情の変態化を目指す一連のツイートや、規範への適応は不可避であると勇気をもって言い切った上で、規範の変態化の「仮固定」が適応的ではなくとも安らぐものであり、同時に、私的な秘密の必要性を主張する一連のツイートを、「あらゆるプライベートなことは政治的であるという発想」に対する啓蒙や批判として差し出すときである。そして、著者が出くわす困難を思わざるをえない。しかも著者は、それを「ストレスフルな空間」へ突き出しているのだ。

著者のキャッチ・コピーと言えば、「動きすぎてはいけない」であり、「接続過剰の切断」であった。いまや、「動くな」かつ「動け」と命じられ、「切断せよ」かつ「接続せよ」と命じられている。一見したところ、著者は、その中間の、ほどほどのいい加減なところでの、中庸を説いているように見えるが、必ずしもそうではない。著者は、その〈あいだ〉での「迷い」と「せつなさ」を問題として設定し、まさにそこから「人生と学問」を批判しながら創造しようとしている。本書は、その苦闘の記録である。

本書は二〇一四年七月、小社より刊行された
単行本『別のしかたで――ツイッター哲学』を、
修正・加筆の上、再編集したものです。
また文庫化にあたり、改題しました。

ツイッター哲学《てつがく》

別《べつ》のしかたで

二〇二〇年一一月一〇日　初版印刷
二〇二〇年一一月二〇日　初版発行

著　者　千葉《ちば》雅也《まさや》

発行者　小野寺優
発行所　株式会社河出書房新社
〒一五一－〇〇五一
東京都渋谷区千駄ヶ谷二－三二－二
電話〇三－三四〇四－八六一一（編集）
〇三－三四〇四－一二〇一（営業）
http://www.kawade.co.jp/

ロゴ・表紙デザイン　粟津潔
本文フォーマット　佐々木暁
本文組版　株式会社キャップス
印刷・製本　中央精版印刷株式会社

Printed in Japan　ISBN978-4-309-41778-3

動きすぎてはいけない

千葉雅也　41562-8

全生活をインターネットが覆い、我々は窒息しかけている──接続過剰の世界に風穴を開ける「切断の哲学」。異例の哲学書ベストセラーを文庫化！　併録＊千葉＝ドゥルーズ思想読解の手引き

アンチ・オイディプス 上・下　資本主義と分裂症

G・ドゥルーズ／F・ガタリ　宇野邦一〔訳〕　46280-6　46281-3

最初の訳から二十年目にして"新訳"で贈るドゥルーズ＝ガタリの歴史的名著。「器官なき身体」から、国家と資本主義をラディカルに批判しつつ、分裂分析へ向かう本書は、いまこそ読みなおされなければならない。

意味の論理学 上・下

ジル・ドゥルーズ　小泉義之〔訳〕　46285-1　46286-8

『差異と反復』から『アンチ・オイディプス』への飛躍を画する哲学者ドゥルーズの主著、渇望の新訳。アリスとアルトーを伴う驚くべき思考の冒険とともにドゥルーズの核心的主題があかされる。

記号と事件　1972−1990年の対話

ジル・ドゥルーズ　宮林寛〔訳〕　46288-2

『アンチ・オイディプス』『千のプラトー』『シネマ』などにふれつつ、哲学の核心、政治などについて自在に語ったドゥルーズの生涯唯一のインタヴュー集成。ドゥルーズ自身によるドゥルーズ入門。

差異と反復 上・下

ジル・ドゥルーズ　財津理〔訳〕　46296-7　46297-4

自ら「はじめて哲学することを試みた」著と語るドゥルーズの最も重要な主著、全人文書ファン待望の文庫化。一義性の哲学によってプラトン以来の哲学を根底から覆し、永遠回帰へと開かれた不滅の名著。

批評と臨床

ジル・ドゥルーズ　守中高明／谷昌親〔訳〕　46333-9

文学とは錯乱／健康の企てであり、その役割は来たるべき民衆＝人民を創造することなのだ。「神の裁き」から生を解き放つため極限の思考。ドゥルーズの思考の到達点を示す生前最後の著書にして不滅の名著。

千のプラトー　上・中・下　資本主義と分裂症

G・ドゥルーズ／F・ガタリ　宇野邦一／小沢秋広／田中敏彦／豊崎光一／宮林寛／守中高明〔訳〕　46342-1 46343-8 46345-2

ドゥルーズ／ガタリの最大の挑戦にして、いまだ読み解かれることのない二十世紀最大の思想書、ついに文庫化。リゾーム、抽象機械、アレンジメントなど新たな概念によって宇宙と大地をつらぬきつつ生を解き放つ。

哲学の教科書　ドゥルーズ初期

ジル・ドゥルーズ〔編著〕　加賀野井秀一〔訳注〕　46347-6

高校教師だったドゥルーズが編んだ教科書『本能と制度』と、処女作「キリストからブルジョワジーへ」。これら幻の名著を詳細な訳注によって解説し、ドゥルーズの原点を明らかにする。

ディアローグ　ドゥルーズの思想

G・ドゥルーズ／C・パルネ　江川隆男／増田靖彦〔訳〕　46366-7

『アンチ・オイディプス』『千のプラトー』の間に盟友パルネとともに書かれた七十年代ドゥルーズの思想を凝縮した名著。『千のプラトー』のエッセンスとともにリゾームなどの重要な概念をあきらかにする。

哲学とは何か

G・ドゥルーズ／F・ガタリ　財津理〔訳〕　46375-9

ドゥルーズ＝ガタリ最後の共著。内在平面―概念的人物―哲学地理によって哲学を総括し、哲学―科学―芸術の連関を明らかにする。限りなき生成／創造へと思考を開く絶後の名著。

ドゥルーズ・コレクション Ⅰ　哲学

ジル・ドゥルーズ　宇野邦一〔監修〕　46409-1

ドゥルーズ没後20年を期してその思考集成『無人島』『狂人の二つの体制』から重要テクストをテーマ別に編んだアンソロジー刊行開始。1には思考の軌跡と哲学をめぐる論考・エッセイを収録。

ドゥルーズ・コレクション Ⅱ　権力／芸術

ジル・ドゥルーズ　宇野邦一〔監修〕　46410-7

『無人島』『狂人の二つの体制』からのテーマ別オリジナル・アンソロジー。フーコー、シャトレ論、政治的テクスト、芸術論などを集成。ドゥルーズを読み直すための一冊。

ザッヘル＝マゾッホ紹介

ジル・ドゥルーズ　堀千晶〔訳〕　46461-9

サドに隠れていたマゾッホを全く新たな視点で甦らせながら、マゾッホとサドの現代性をあきらかにしつつ「死の本能」を核心とするドゥルーズ前期哲学の骨格をつたえる重要な名著。気鋭が四十五年目に新訳。

ツァラトゥストラかく語りき

フリードリヒ・ニーチェ　佐々木中〔訳〕　46412-1

あかるく澄み切った日本語による正確無比な翻訳で、いま、ツァラトゥストラが蘇る。もっとも信頼に足る原典からの文庫完全新訳。読みやすく、しかもこれ以上なく哲学的に厳密な、ニーチェ。

喜ばしき知恵

フリードリヒ・ニーチェ　村井則夫〔訳〕　46379-7

ニーチェの最も美しく、最も重要な著書が冷徹にして流麗な日本語によってよみがえる。「神は死んだ」と宣言しつつ永遠回帰の思想をはじめてあきらかにしたニーチェ哲学の中核をなす大いなる肯定の書。

偶像の黄昏

F・ニーチェ　村井則夫〔訳〕　46494-7

ニーチェの最後の著作が流麗で明晰な新訳でよみがえる。近代の偶像を破壊しながら、その思考を決算したニーチェ哲学の究極的な到達であると同時に自身によるニーチェ入門でもある名著。

道徳は復讐である　ニーチェのルサンチマンの哲学

永井均　40992-4

ニーチェが「道徳上の奴隷一揆」と呼んだルサンチマンとは何か？　それは道徳的に「復讐」を行う装置である。人気哲学者が、通俗的ニーチェ解釈を覆し、その真の価値を明らかにする！

過酷なるニーチェ

中島義道　41490-4

「明るいニヒリズム」の哲学者が「誰の役にもたたず、人々を絶望させ、あらゆる価値をなぎたおす」ニーチェに挑む。生の無意味さと人間の醜さの彼方に肯定を見出す真に過酷なニーチェ入門の決定版。

言説の領界

ミシェル・フーコー　慎改康之〔訳〕　46404-6

フーコーが一九七〇年におこなった講義録。『言語表現の秩序』を没後三十年を期して四十年ぶりに新訳。言説分析から権力分析への転換をつげてフーコーのみならず現代思想の歴史を変えた重要な書。

ピエール・リヴィエール　殺人・狂気・エクリチュール

M・フーコー編著　慎改康之／柵瀬宏平／千條真知子／八幡恵一〔訳〕　46339-1

十九世紀フランスの小さな農村で一人の青年が母、妹、弟を殺害した。青年の手記と事件の考察からなる、フーコー権力論の記念碑的労作であると同時に希有の美しさにみちた名著の新訳。

知の考古学

ミシェル・フーコー　慎改康之〔訳〕　46377-3

あらゆる領域に巨大な影響を与えたフーコーの最も重要な著作を気鋭が42年ぶりに新訳。伝統的な「思想史」と訣別し、歴史の連続性と人間学的思考から解き放たれた「考古学」を開示した記念碑的名著。

定本　夜戦と永遠　上

佐々木中　41087-6

『切りとれ、あの祈る手を』で思想・文学界を席巻した佐々木中の第一作にして主著。重厚な原点準拠に支えられ、強靭な論理が流麗な文体で舞う。恐れなき闘争の思想が、かくて蘇生を果たす。

定本　夜戦と永遠　下

佐々木中　41088-3

俊傑・佐々木中の第一作にして哲学的マニフェスト。厳密な理路が突き進められる下巻には、単行本未収録の新論考が付され、遂に定本となる。絶えざる「真理への勇気」の驚嘆すべき新生。

仝

佐々木中　41351-8

『アナレクタ・シリーズ』の四冊から筆者が単独で行った講演のみ再編集文庫化し、新たに二〇一四年秋に行われた講演「失敗せる革命よ知と熱狂を撒け」を付した、文字通りのヴェリー・ベスト。

メディアはマッサージである

マーシャル・マクルーハン／クエンティン・フィオーレ　門林岳史〔訳〕 46406-0

電子的ネットワークの時代をポップなヴィジュアルで予言的に描いたメディア論の名著が、気鋭の訳者による新訳で、デザインも新たに甦る。全ページを解説した充実の「副音声」を巻末に付す。

イデオロギーの崇高な対象

スラヴォイ・ジジェク　鈴木晶〔訳〕 46413-8

現代思想界の奇才が英語で書いた最初の書物にして主著、待望の文庫化。難解で知られるラカン理論の可能性を根源から押し広げてみせ、全世界に衝撃を与えた。

ベンヤミン・アンソロジー

ヴァルター・ベンヤミン　山口裕之〔編訳〕 46348-3

危機の時代にこそ読まれるべき思想家ベンヤミンの精髄を最新の研究をふまえて気鋭が全面的に新訳。重要なテクストを一冊に凝縮、その繊細にしてアクチュアルな思考の核心にせまる。

有罪者

ジョルジュ・バタイユ　江澤健一郎〔訳〕 46457-2

夜の思想家バタイユの代表作である破格の書物が五〇年目に新訳で復活。鋭利な文体と最新研究をふまえた膨大な訳注でよみがえるおそるべき断章群が神なき神秘を到来させる。

孤独の科学

ジョン・T・カシオポ／ウィリアム・パトリック　柴田裕之〔訳〕 46465-7

その孤独感には理由がある！　脳と心のしくみ、遺伝と環境、進化のプロセス、病との関係、社会・経済的背景……「つながり」を求める動物としての人間——第一人者が様々な角度からその本性に迫る。

人間の測りまちがい　上・下　差別の科学史

S・J・グールド　鈴木善次／森脇靖子〔訳〕 46305-6 46306-3

人種、階級、性別などによる社会的差別を自然の反映とみなす「生物学的決定論」の論拠を、歴史的展望をふまえつつ全面的に批判したグールド渾身の力作。

タラウマラ

アントナン・アルトー　宇野邦一〔訳〕　46445-9

メキシコのタラウマラ族と出会い、ペヨトルの儀式に参加したアルトーがその衝撃を刻印したテクスト群を集成、「器官なき身体」への覚醒をよびさまし、世界への新たな闘いを告げる奇跡的な名著。

演劇とその分身

アントナン・アルトー　鈴木創士〔訳〕　46700-9

「残酷演劇」を宣言して20世紀演劇を変え、いまだに震源となっている歴史的名著がついに新訳。身体のアナーキーからすべてを問い直し、あらゆる領域に巨大な影響を与えたアルトーの核心をしめす代表作。

哲学史講義　I

G・W・F・ヘーゲル　長谷川宏〔訳〕　46601-9

最大の哲学者、ヘーゲルによる哲学史の決定的名著がついに文庫化。大河のように律動、変遷する哲学のドラマ、全四巻改訳決定版。『I』では哲学史、東洋、古代ギリシアの哲学を収録。

哲学史講義　II

G・W・F・ヘーゲル　長谷川宏〔訳〕　46602-6

自然とはなにか、人間とはなにか、いかに生きるべきか——二千数百年におよぶ西洋哲学を一望する不朽の名著、名訳決定版第二巻。ソフィスト、ソクラテス、プラトン、アリストテレスらを収録。

哲学史講義　III

G・W・F・ヘーゲル　長谷川宏〔訳〕　46603-3

揺籃期を過ぎた西洋哲学は、ストア派、新プラトン派を経て中世へと進む。エピクロス、フィロン、トマス・アクィナス……。哲学者たちの苦闘の軌跡をたどる感動的名著・名訳の第三巻。

哲学史講義　IV

G・W・F・ヘーゲル　長谷川宏〔訳〕　46604-0

デカルト、スピノザ、ライプニッツ、そしてカント……など。近代の哲学者たちはいかに世界と格闘したのか。批判やユーモアとともに哲学のドラマをダイナミックに描き出すヘーゲル版哲学史、ついに完結。

史上最強の哲学入門

飲茶　41413-3

最高の真理を求めた男たちの熱き闘い！　ソクラテス・デカルト・ニーチェ・サルトル…さらなる高みを目指し、知を闘わせてきた32人の哲学者たちの論が激突。まさに「史上最強」の哲学入門書！

史上最強の哲学入門　東洋の哲人たち

飲茶　41481-2

最高の真理を求める男たちの闘い第２ラウンド！　古代インド哲学から釈迦、孔子、孟子、老子、荘子、そして日本の禅まで東洋の“知”がここに集結。真理（結論）は体験によってのみ得られる！

14歳からの哲学入門

飲茶　41673-1

「なんで人殺しはいけないの？」。厨二全開の斜に構えた「極端で幼稚な発想」。だが、この十四歳の頃に迎える感性で偉大な哲学者たちの論を見直せば、難解な思想の本質が見えてくる！

なぜ人を殺してはいけないのか?

永井均／小泉義之　40998-6

十四歳の中学生に「なぜ人を殺してはいけないの」と聞かれたら、何と答えますか？　日本を代表する二人の哲学者がこの難問に挑んで徹底討議。対話と論考で火花を散らす。文庫版のための書き下ろし原稿収録。

集中講義 これが哲学！ いまを生き抜く思考のレッスン

西研　41048-7

「どう生きたらよいのか」――先の見えない時代、いまこそ哲学にできることがある！　単に知識を得るだけでなく、一人ひとりが哲学するやり方とセンスを磨ける、日常を生き抜くための哲学入門講義。

哲学の練習問題

西研　41184-2

哲学するとはどういうことか――。生きることを根っこから考えるためのＱ＆Ａ。難しい言葉を使わない、けれども本格的な哲学へ読者をいざなう。深く考えるヒントとなる哲学イラストも多数。

著訳者名の後の数字はISBNコードです。頭に「978-4-309」を付け、お近くの書店にてご注文下さい。